臨床工学技士国家試験

Check UP! 2025

- 医用治療機器学
- 生体計測装置学
- 医用機器安全管理学

臨床工学技士国家試験研究会 編

医歯薬出版株式会社

合格

本書の使い方

　本書では過去10年分以上の国家試験（以下，国試）を分析・分類し，特に直近5年分の出題傾向に沿って効率よく学習できるように構成しています.

　領域ごとに分類された，インプット＜要点のまとめ＞とアウトプット＜Check UP!（国家試験問題）＞を何度も繰り返し，国試合格に必要な知識を確実なものにしましょう.

インプット＜要点のまとめ＞

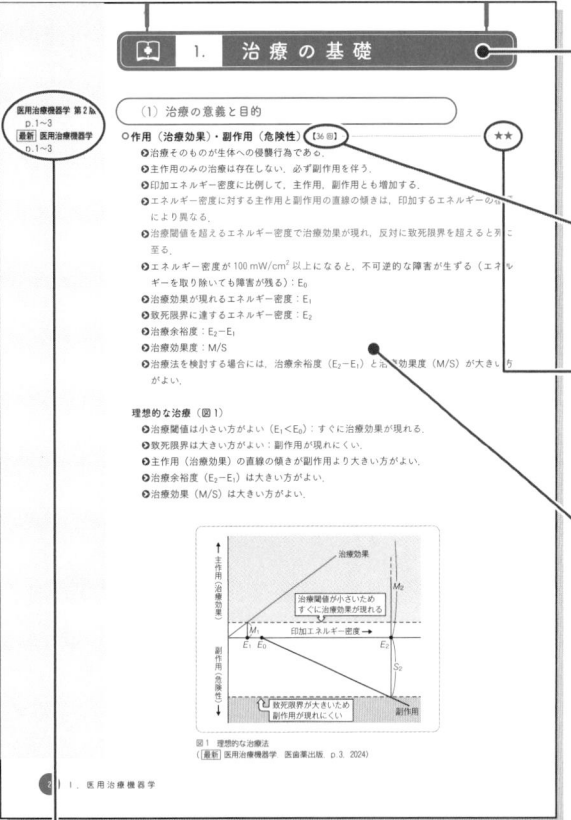

医用治療機器学 第2版
p.1〜3
[最新] 医用治療機器学
p.1〜3

◻ 1. 治療の基礎

（1）治療の意義と目的

○作用（治療効果）・副作用（危険性）【34回】　★★

- 治療そのものが生体への侵襲行為である.
- 主作用のみの治療は存在しない. 必ず副作用を伴う.
- 印加エネルギー密度に比例して，主作用，副作用とも増加する.
- エネルギー密度に対する主作用と副作用の直線の傾きは，印加するエネルギーの種類により異なる.
- 治療閾値を超えるとエネルギー密度で治療効果が現れ，反対に致死限界を超えると死に至る.
- エネルギー密度が 100 mW/cm² 以上になると，不可逆的な障害が生ずる（エネルギーを取り除いても障害が残る）：E_0
- 治療効果が現れるエネルギー密度：E_1
- 致死限界に達するエネルギー密度：E_2
- 治療余裕度：$E_2 - E_1$
- 治療効果度：M/S
- 治療法を検討する場合には，治療余裕度（$E_2 - E_1$）と治療効果度（M/S）が大きい方がよい.

理想的な治療（図1）
- 治療閾値は小さい方がよい（$E_1 < E_0$）：すぐに治療効果が現れる.
- 致死限界は大きい方がよい：副作用が現れにくい.
- 主作用（治療効果）の直線の傾きが副作用より大きい方がよい.
- 治療余裕度（$E_2 - E_1$）は大きい方がよい.
- 治療効果（M/S）は大きい方がよい.

図1 理想的な治療法
[最新] 医用治療機器学 医歯薬出版 p.3, 2024

I. 医用治療機器学

国試は国家試験出題基準に沿って出題されます. 本書の章の見出しは「令和3年版臨床工学技士国家試験出題基準」の大項目に対応しています.
（内容を理解しやすいように構成を変えているところもあります）

直近5年（33回〜37回）の国試で出題された回を表示しています.

頻出問題を★マークで表示しています.

- ★★★：頻出！直近5年の国試で3回以上出題あり
- ★★：直近5年の国試で1〜2回の出題あり
- ★：5年以上前の国試で3回以上の出題あり
- 星なし：5年以上前の国試で3回未満の出題

既出国試問題の選択肢を正しい内容の文章に整理しています（一部は，わかりやすいように解説を多めにしました）. 特に重要な箇所を色文字で強調しています.

（5）構成

○標準的な回路構成【34回】【35回】　★★

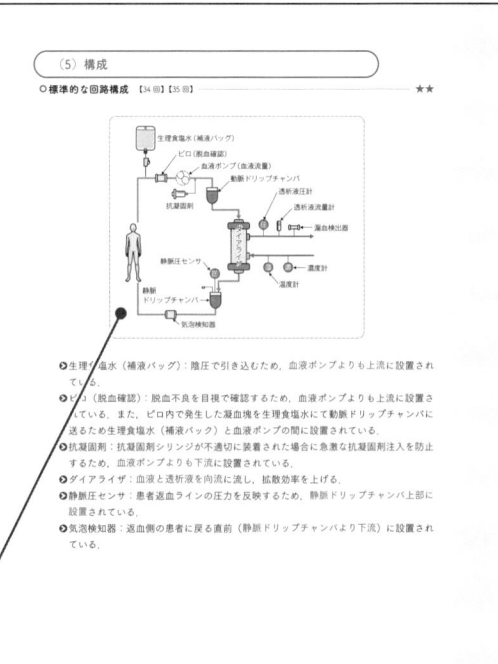

- 生理食塩水（補液バッグ）：陰圧で引き込むため，血液ポンプよりも上流に設置されている.
- ピロ（脱血確認）：脱血不良を目視で確認するため，血液ポンプよりも上流に設置されている. また，ピロ内で発生した凝血塊を生理食塩水で動脈ドリップチャンバに送るため生理食塩水（補液バック）と血液ポンプの間に設置されている.
- 抗凝固剤：抗凝固剤シリンジが不適切に装着された場合に急激な抗凝固剤注入を防止するため，血液ポンプよりも下流に設置されている.
- ダイアライザ：血液と透析液を向流に流し，拡散効率を上げる.
- 静脈圧センサ：患者返血ラインの圧力を反映するため，静脈ドリップチャンバ上部に設置されている.
- 気泡検知器：返血側の患者に戻る直前（静脈ドリップチャンバより下流）に設置されている.

教科書（臨床工学講座および最新臨床工学講座：医歯薬出版発行）の参照ページ. 教科書とあわせて読むと理解が深まります. また，授業で習った重要ポイントを転記したり，図表をコピーして本書に貼れば，最強のオリジナル国試対策書に！

臨床工学講座
医用治療機器学
第2版

医用治療機器学

文章だけではわかりにくいところは，図表を用いて解説しています.

余白を多めにしています. 自由に使って，オリジナル国試対策書を作りましょう.

アウトプット＜Check UP!（国家試験問題）＞

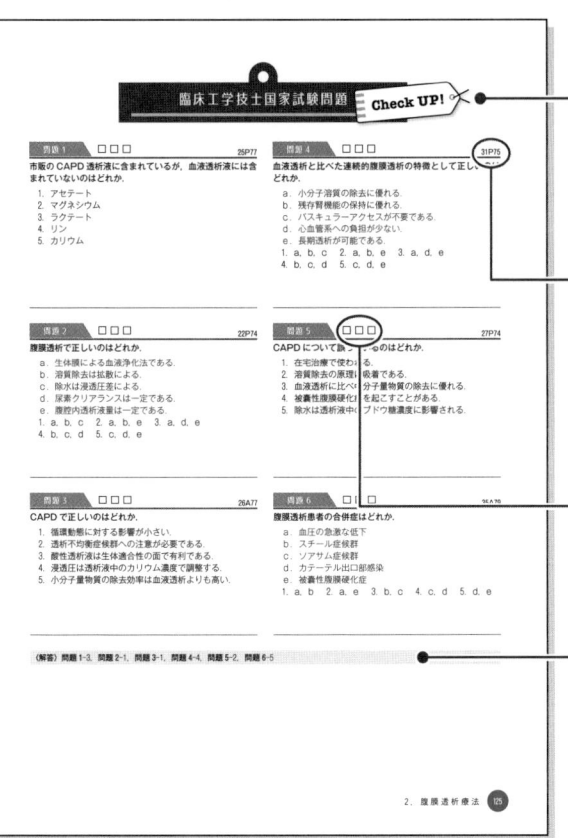

既出国試問題で重要な問題を掲載しました．

国試出題回を表示しています．古い問題については，必要に応じて内容を最新の情報に更新しています．
例）35A01 → 35回国試午前問題1
24P50改 → 24回国試午後問題50を改変
（内容の更新など）

チェックボックスを活用しましょう．
問題を解いたら☑，正解できたら☑，不正解だったら☑など

正解を導けなかったときは要点のまとめページに戻り，確認しましょう．

国試に合格した先輩はこんな使い方をしました！

・余白にどんどんメモを書き込んだり，追加事項を大きな付箋にまとめて貼り付けたり，教科書で重要な図表はコピーして貼り付けました．国試直前にはこのオリジナル本を見直しして，自信をもって国試に臨めました！

・内容の理解が不十分なページには付箋を貼って，理解ができたら付箋を剥がしていきました．最初は付箋だらけでしたが，勉強を進めると付箋が減っていき，最後には自分の弱点が残ります．幅広い国試の範囲を1つずつ攻略できました！

序

　臨床工学技士国家試験は第37回が終了しました．近年，臨床工学技士に求められる業務内容に変化があり，国家試験出題内容も変化しつつあります．

　臨床工学技士国家試験の出題範囲は，医学系，工学系，医用機器，安全管理と多岐にわたり，多くの内容を理解する必要があります．しかし，臨床工学技士国家試験対策の参考書は他職種と比べると種類が少なく，充実した内容のボリュームの大きい書籍，または簡潔にまとめられたコンパクトな書籍はありますが，その中間的なものはありませんでした．

　そこで，臨床工学技士養成校の教員が学生からの声を集め，学生の求める視点に立ち，国家試験対策テキストを作成しました．そのテキストは毎年バージョンアップを繰り返し，その結果多くの臨床工学技士国家試験合格者を誕生させています．学生の声を集めた国家試験対策テキストのノウハウを多くの全国の学生さんに活用してもらいたいと思い，本書の発行となりました．

　臨床工学技士国家試験はこれまで大きな変更はありませんでしたが，現在の業務内容と国家試験問題との相違により見直しが行われ，2022年3月の第35回臨床工学技士国家試験からは新たな出題基準により実施されています．本書は令和3年版国家試験出題基準（2022年）をもとに構成，最新の国家試験問題も掲載しています．また，「医学系」，「工学系」，「治療・計測，安全管理」，「生体機能代行装置」の全4巻で，臨床工学技士国家試験出題範囲をすべてカバーできます．

　本書は，各章要点のまとめ（本文）と既出国試問題（Check UP!）の2部構成となっており，まとめを理解した後は実際の国試問題を解くことにより，理解度確認まで行える構成となっています．国試問題の解説はすべて本文にまとめてあるため，何度も戻って繰り返し確認・見直しを効率的に行うことができます．また，工学系分野では，できるかぎり解説を詳しくし理解しやすい内容を心がけました．

　国試問題を分析すると多くの重複したキーワードが出題されているため，本書では必ず覚えなければいけないキーワード・重要ポイントは色文字で強調しています．そのため，1年生からでも，普段の試験対策，授業の予習・復習のまとめとしても活用できます．

　臨床工学技士国家試験に合格するためには，コツがあります．いきなり国試問題を平たく勉強する方法は効率が悪いため，まずは自信のある分野ごとに勉強し，自分に足りない知識を1つ1つ確実に理解していくことが重要です．そのうえで何度も国試問題を解き，少なくとも過去5年の問題は必ず理解（答えを暗記するのではなく，各選択肢の内容を理解）してください．

　これまで国試に合格した学生の多くは，本書の前身のテキストをサブノート的に使用し，必要な情報を補足しながら自分だけのノートを作っていました．そのため本書は，書

き込みができたり付箋が貼れるよう，ある程度の余白を残しています．本書を最大限に活用することで，臨床工学技士国家試験合格の一助となれば大変嬉しく思います．

　最後に，発刊にあたりご尽力いただきました医歯薬出版のスタッフにお礼を申し上げます．

2024 年 7 月

臨床工学技士国家試験研究会

目　次

● 正誤表・訂正

　本書の内容について訂正箇所がある場合には，医歯薬出版ホームページ内「正誤表」を随時
更新しお知らせいたします．以下の URL または QR コードからウェブページにアクセスしてく
ださい．

https://www.ishiyaku.co.jp/corrigenda/details.aspx?bookcode=732330

I. 医用治療機器学

1. 治療の基礎

（1）治療の意義と目的

○作用（治療効果）・副作用（危険性）【36回】 ★★

- 治療そのものが生体への侵襲行為である．
- 主作用のみの治療は存在しない．必ず副作用を伴う．
- 印加エネルギー密度に比例して，主作用，副作用とも増加する．
- エネルギー密度に対する主作用と副作用の直線の傾きは，印加するエネルギーの種類により異なる．
- 治療閾値を超えるエネルギー密度で治療効果が現れ，反対に致死限界を超えると死に至る．
- エネルギー密度が $100\ mW/cm^2$ 以上になると，不可逆的な障害が生ずる（エネルギーを取り除いても障害が残る）：E_0
- 治療効果が現れるエネルギー密度：E_1
- 致死限界に達するエネルギー密度：E_2
- 治療余裕度：$E_2 - E_1$
- 治療効果度：M/S
- 治療法を検討する場合には，治療余裕度（$E_2 - E_1$）と治療効果度（M/S）が大きい方がよい．

理想的な治療（図1）

- 治療閾値は小さい方がよい（$E_1 < E_0$）：すぐに治療効果が現れる．
- 致死限界は大きい方がよい：副作用が現れにくい．
- 主作用（治療効果）の直線の傾きが副作用より大きい方がよい．
- 治療余裕度（$E_2 - E_1$）は大きい方がよい．
- 治療効果（M/S）は大きい方がよい．

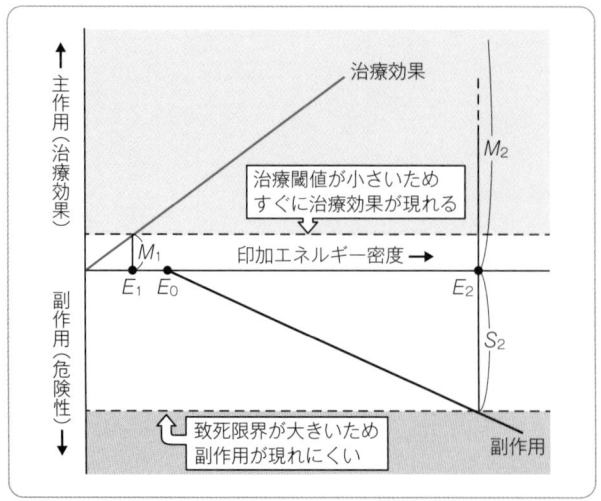

図1 理想的な治療法
（最新 医用治療機器学. 医歯薬出版, p.3, 2024）

成立しない治療（図2）

- ❥ 治療閾値が大きい：治療効果が現れにくい.
- ❥ 致死限界が小さい：副作用がすぐに現れる.
- ❥ 主作用（治療効果）の直線の傾きが副作用より小さい.
- ❥ 治療効果（M/S）が小さい.

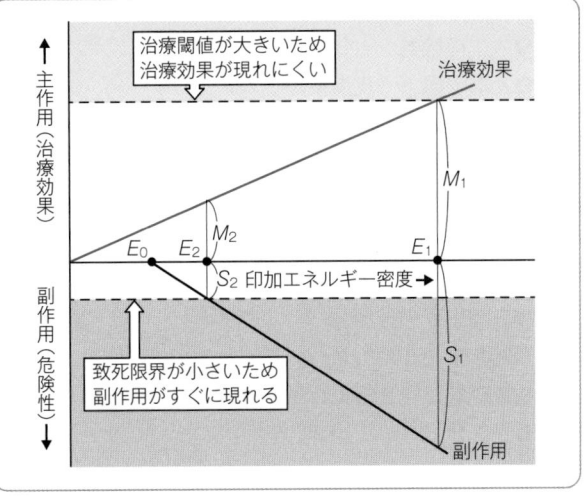

図2 成立しない治療法
（最新 医用治療機器学. 医歯薬出版, p.3, 2024）

（2）治療に用いる物理エネルギーの種類と特性

（右上の欄外）医用治療機器学 第2版 p.4 / 最新 医用治療機器学 p.4

◯ 治療に用いるエネルギーと医療機器　【33回】【35回】【37回】 ───── ★★★

エネルギーの種類	形態	おもな治療機器
電磁波	低周波	除細動器, 低周波治療機器, 心臓ペースメーカ, 静電治療器, 電気麻酔器, 神経・筋電気刺激装置, 直流電気浴
	高周波	電気メス, 超短波治療器, マイクロ波治療機器
	磁界	磁気刺激装置
	光	レーザメス, 光凝固装置, 光線治療器
熱	低温	冷凍手術器
	常温	パラフィン浴装置, 電熱式ホットパック, 輸液用ヒータ, 保育器
	高温	電気焼灼器, ツボ治療器
音波	超音波	超音波吸引手術装置, 超音波凝固切開装置, 超音波ネブライザ, 超音波温熱治療器, （集束）超音波治療器
放射線	電子線	サイクロトロン, ベータトロン, X線装置, 定位放射線治療装置
	粒子線	リニアック（またはライナック）治療装置, 陽子線治療装置
機械力	静圧	高圧酸素室, 加圧水マッサージ装置, 吸引器, 牽引器, 脊椎矯正器
	動圧	心マッサージ器, バルーンパンピング装置, 気泡浴装置, 人工呼吸器, 輸液ポンプ, バイブレータ, 結石破砕器

（最新 医用治療機器学. 医歯薬出版, p.4, 2024）

事故事例 【33回】 ★★

- 人工呼吸器——圧損傷
- X線照射——皮膚潰瘍
- 紫外線照射——DNA損傷
- 赤外線照射——熱損傷
- 電子線照射——体表皮膚の障害
- 輸液ポンプ——フリーフロー
- 電気メス——電磁障害, 熱傷
- IABP——大動脈解離
- 熱希釈式心拍出量——不整脈
- 経皮的酸素分圧モニタ——水疱
- レーザメス——眼球障害

組合せ問題 【35回】 ★★

- 光線力学的治療——腫瘍組織の壊死
- 新生児黄疸用光線治療器——光化学反応
- ジェットネブライザ——ベンチュリー効果
- 電気メス——ジュール熱, 高周波電流, 電磁障害
- 除細動器——直流電流, パルス波
- マイクロ波手術装置——誘電熱
- CO_2 レーザメス——熱エネルギー
- レーザ結石破砕——衝撃波
- 超音波ネブライザ——振動
- 高気圧治療装置——静圧, 減圧症
- ネブライザ——超音波
- サイクロトロン——電子線
- 低周波治療器——神経・筋刺激
- 超短波治療器——高周波
- 赤外線コアギュレータ——出血部位
- ハイパーサーミア——低周波
- 筋刺激装置——電気（電流）
- X線装置——X線

電磁気

- 電磁波の周波数が高い（波長の短い）順
  - γ線＞X線＞紫外線＞可視光＞赤外線＞マイクロ波＞超短波＞短波＞中波＞長波
- 治療機器の出力の波長が短い順
  - レーザ手術装置（赤外線〜紫外線） ＜ 超短波治療器（マイクロ波） ＜ 電気メス（300 kHz〜5 MHz：中波, 短波）

問題 1 □□□ 28A34

治療機器のエネルギー作用について正しいのはどれか.

　a. エネルギー密度に対する主作用はエネルギーの種類によらない.
　b. 主作用は治療余裕度を超えるエネルギー密度で現れる.
　c. 治療閾値を超えるエネルギー密度で治療効果が現れる.
　d. 副作用はエネルギー密度が大きくなると増大する.
　e. 不可逆的な障害は $0.1\,mW/cm^2$ を超えるエネルギー密度で現れる.

1. a, b　2. a, e　3. b, c　4. c, d　5. d, e

問題 2 □□□ 31A34

治療機器とエネルギーの組合せで正しいのはどれか.

　a. ガンマナイフ————粒子線
　b. 温熱治療器————紫外線
　c. マイクロ波治療器——電磁波
　d. サイクロトロン————電子線
　e. 高気圧治療装置————陽圧

1. a, b, c　2. a, b, e　3. a, d, e
4. b, c, d　5. c, d, e

問題 3 □□□ 26A33

治療機器の出力の波長が短い順に並んでいるのはどれか.

1. マイクロ波治療器 ＜ レーザー手術装置 ＜ 電気メス
2. マイクロ波治療器 ＜ 電気メス ＜ 超短波治療器
3. レーザー手術装置 ＜ 電気メス ＜ 超短波治療器
4. レーザー手術装置 ＜ 超短波治療器 ＜ 電気メス
5. 超短波治療器 ＜ 電気メス ＜ レーザー手術装置

問題 4 □□□ 33A40

医療機器とその有害事象との組合せで適切でないのはどれか.

1. マイクロ波加温装置————キャビテーション
2. 熱希釈式心拍出量計————不整脈
3. 経皮的酸素分圧モニタ——水疱
4. 電気メス————熱傷
5. レーザメス————眼傷害

問題 5 □□□ 35P33

使用エネルギーと治療法との組合せで正しいのはどれか.

1. 熱————PTCA
2. 電磁波——VAD
3. 粒子線——ESWL
4. 電流——ICD
5. 超音波——CHDF

問題 6 □□□ 36P33

皮膚を通して生体内に伝達される物理的エネルギーによって,生体に何らかの不可逆的な障害が生じるとされているエネルギー密度の下限はどれか.

1. $1\,mW/cm^2$
2. $10\,mW/cm^2$
3. $100\,mW/cm^2$
4. $1\,W/cm^2$
5. $10\,W/cm^2$

問題 7 □□□ 37P33

機械力を利用する医療機器はどれか.

　a. 冷凍手術器
　b. IABP 装置
　c. 高気圧治療装置
　d. レーザメス
　e. サイクロトロン

1. a, b　2. a, e　3. b, c　4. c, d　5. d, e

〈解答〉問題 1-4, 問題 2-5, 問題 3-4, 問題 4-1, 問題 5-4, 問題 6-3, 問題 7-3

2. 電気的治療機器

医用治療機器学 第2版
p.5〜28
最新 医用治療機器学
p.5〜29

（1）電気メス

○原理，構造 【34回】【35回】【36回】 ★★★

原理	高周波電流，アーク放電，ジュール熱
高周波電流	500 kHz（300 kHz〜5 MHz）
切開	連続正弦波 最大出力 400 W ピーク電圧　2,000 V 識別色は黄色
凝固	バースト波（断続波，500 kHz を 20〜30 kHz で変調） 繰り返し周期　30〜50 μs 持続時間　5〜10 μs 最大出力 200 W ピーク電圧　4,000 V 識別色は青色
混合	切開と凝固の混合
出力方式	モノポーラ出力，バイポーラ出力
バイポーラ出力	ピンセット型，鉗子型，はさみ型電極 マイクロサージェリー 対極板不要，フットスイッチ
接地方式	高周波接地形，高周波非接地形（フローティング形）
対極板	対極板は拡散電極 広い面積（110〜200 cm^2） 危険電流密度　30 mA/cm^2 導電結合，静電結合
出力電力（W）	出力電力[W]＝実行値電流[A]^2×負荷抵抗値[Ω] 　　　　　　＝実行値電圧[V]^2/負荷抵抗値[Ω]
出力点検時の負荷抵抗	300〜500 Ω（100〜2,000 Ω のメーカが指定する無誘導抵抗）
高周波漏れ電流	200 Ω無誘導抵抗器に対し許容値は 150 mA 以内

○出力 【33回】【36回】 ★★

- ❯凝固モードは断続波となる．
- ❯切開モードでは連続正弦波を用いる．
- ❯スプレー凝固ではピーク電圧が高く雑音障害が発生しやすい．
- ❯スプレー凝固にはバースト波が用いられる．
- ❯スプレー凝固は 9,000 V 程度．
- ❯混合モードでは，クレストファクタが大きいほど凝固作用は強い．

○高周波分流と安全回路 【33回】【35回】【36回】 ★★★

- ❯点検負荷抵抗には無誘導抵抗器が使用される．
- ❯高周波漏れ電流は 150 mA 以内である．
- ❯出力回路にはコンデンサが直列に挿入されている．
- ❯神経・筋刺激低減のために出力回路にコンデンサを挿入することで，生体側へ低周波成分が流れるのを阻止している．

- ❷高周波接地は対極板回路をコンデンサにより接地した形式.
- ❷高周波非接地は対極板回路を接地から絶縁した形式.
- ❷出力電力と必要な対極板面積は比例する.
- ❷キャリブレーションには負荷抵抗 500 Ω を標準としている.
- ❷フローティング型でも分流熱傷は発生する.
- ❷電気メスの高周波発振器は本体内にあり,電界効果型トランジスタ（FET）を用い,300 kHz〜5 MHz の高周波を発生させる.
- ❷放電時に発生する低周波電流は電撃の原因となる.
  - ・放電時にメス先接触部位ではアーク放電により火花が飛ぶ. この際,整流作用が起こり,直流および低周波電流が発生する.
- ❷心臓ペースメーカのデマンド機能誤作動を誘発する.
- ❷患者のペースメーカのモードを固定レートに変更する.

◯ 対極板　【33回】【35回】　★★

静電結合型対極板
- ❷体表と対極板の間にコンデンサが入った状態.
- ❷表面は絶縁されている.
- ❷生体との接触抵抗が高い.
- ❷高周波電流を通しやすい性質を利用している.

導電結合型対極板
- ❷ゲルパッド型対極板.
- ❷対極板表面に導電材を用いる.
- ❷高周波電流を回収しやすい性質を利用している.
- ❷導電接触形対極板は静電接触形対極板より接触インピーダンスが小さい.
- ❷生体との接触抵抗が小さい.
- ❷生体との接触インピーダンスは周波数に対して一定で,小さくすることができる.
- ❷剥がれなどによって接触面積が小さくなると,熱傷の危険性が高くなる.

対極板の取り扱い　【34回】【36回】　★★
- ❷対極板面積の安全範囲は出力に依存する.
- ❷対極板の一点に加重がかからないようにする.
- ❷対極板と皮膚との間に空気が入らないようにする.
- ❷対極板は広く均一に装着する必要がある.
- ❷対極板は血行のよい部位に装着することが望ましい.
- ❷消毒液が対極板に付着しないように注意する.
- ❷対極板コードはコイル状に巻くと誘導リアクタンスが増大し,高周波分流の原因となるため注意する.
- ❷スプリット形対極板により電極の接触不良を監視する.
- ❷モノポーラ出力では対極板が必要である.
- ❷対極板は高周波インピーダンスの低いものが望ましい.
- ❷対極板は拡散電極である.
- ❷対極板回路抵抗の増加は熱傷の原因である.
- ❷対極板接地形では高周波分流が起こりやすい.

❷出力電力の増加に伴い対極板面積も増やす必要がある.

身体同士の接触による熱傷の注意箇所
❷接触面積が小さい部位が接触すると電流密度が高くなり，熱傷が起こる.
- 指先と胴体との接触
- 踵同士の接触

○電極　【33回】【34回】　★★

バイポーラ電極
❷対極板は使用しない.
❷微少部分だけに高周波電流を流すもので微細手術に使われる.
❷バイポーラ電極は挟まれた部位を凝固する.
❷ピンセット型になっている.
❷形状として鑷子型，鉗子型，ハサミ型などがある.
❷脳外科や眼科などのマイクロサージェリー（手術用顕微鏡を用いる）に使用される.

（2）極超短波（マイクロ波）手術装置

医用治療機器学 第2版
p.28〜33
|最新| 医用治療機器学
p.29〜33

○原理，構造　★
❷電子レンジと同じ周波数のマイクロ波が用いられる.
❷周波数帯：2,450 MHz（2.45 GHz）　→ ISM 周波数
❷マイクロ波の発生にはマグネトロンが用いられる.
❷マイクロ波は電極まで同軸ケーブルで伝送する.
❷モノポーラ型針電極を使用する.
❷電極の形状：ニードル型，ヘラ型，ボール型，フック型
❷対極板は不要である.
❷組織中の水分にマイクロ波が作用して発生する誘電熱を利用する.
❷出力エネルギーは組織の水分に吸収される.
❷組織の比誘電率は波長に反比例するため，比誘電率が大きいほど波長は短くなる.
❷誘電熱を利用し，実質臓器の止血・凝固・部分切除を行う.
❷切開作用よりも，凝固・止血作用を重視したメス：鋭利な切開はできない.
❷凝固範囲は電極の形状により変化する.
❷手術電極に付着した組織を解離させるため直流電流を流す（組織解離装置）.
❷出力同軸ケーブルはガス滅菌する.

○取り扱いと安全管理
❷他の医療機器に電磁波障害を起こすことがある.
❷使用中に可燃性ガスを併用しない.
❷手術電極付近では電気メスを併用しない.

例題

マクロ波手術器の使用する波長はいくつか.

解答

マイクロ波の周波数（f）：2,450 MHz（2.45×10^9 Hz），光速（C）：3.0×10^8 m/s

波長 $\lambda = C/f$ より，$\lambda = 3 \times 10^8 / 2.45 \times 10^9 ≒ 0.12[\text{m}] = 12[\text{cm}]$

国試 【26回】

　生体組織における 2,450 MHz のマイクロ波のおよその波長［cm］はいくつか．ただし，光速を 3.0×10^8 m/s，生体組織の比誘電率を 36 とする．

解答

　波長 $\lambda = C/f$ で求めることができる．

　ここで，C は生体組織中の光速であるが，μ_0：真空中の透磁率，ε_0：真空中の誘電率とすると真空中の光速 C_0 は，$C_0 = 1/\sqrt{\mu_0 \times \varepsilon_0}$ で求めることができる．

　生体組織の透磁率は真空と同じであり，比誘電率は 36 のため，真空の 36 倍の誘電率となる．

$$C = 1/\sqrt{\mu_0 \times 36 \times \varepsilon_0} = C_0 \times 1/\sqrt{36} = 3 \times 10^8 \times 1/\sqrt{36} = 0.5 \times 10^8 [\text{m/s}]$$

　よって波長は，$\lambda = (0.5 \times 10^8)/(2,450 \times 10^6) = 2.0 \times 10^{-2}[\text{m}] = 2.0[\text{cm}]$ となる．

（3）除細動器

医用治療機器学 第2版
p.34〜64
最新 医用治療機器学
p.34〜66

◯原理，構造 【33回】【35回】【37回】 ──────── ★★★

- ❱心房細動や心室細動の除去に必要.
- ❱除細動器と言えば，直流除細動器をさす.
- ❱R 波同期通電（カルディオ・バージョン）：頻脈性不整脈に対して行う.
- ❱非同期通電：心室細動などの致死性不整脈に対して行う.
- ❱心室細動では R 波が検出されず，R 波の同期を行うことができない.
- ❱出力端子はフローティング状態.
  - ・出力端子は接地しない.
- ❱通電時，電撃のおそれがあるため，介助者は患者に触れてはいけない.
- ❱通電ボタンを左右同時に押すことで通電する.

出力波形 【33回】【35回】 ──────────────── ★★

- ❱単相性波形
  - ・電流は一方の電極から他方の電極へ一方向に流れる.
  - ・通電時間（パルス幅）は一般的に 2〜5 ms.
- ❱二相性波形（バイフェージック）
  - ・二相性波形は半導体スイッチにより極性を反転する.
  - ・電流は一方の電極から他方の電極へ流れた後，反転して逆方向に流れる.
  - ・二相性は単相性よりも除細動効果が高い.
  - ・通電エネルギーを低く抑えることができ，心筋に与える傷害を軽減できる.

・AED や植え込み型除細動器での標準波形.

電極面積と出力エネルギー　【33回】 ──────────────────── ★★

			成人	小児
体外通電	電極面積		50 cm^2	15 cm^2
	出力エネルギー	心室 （非同期通電）	150〜360 J	2〜4 J/kg×体重（kg）
		心房 （同期通電）	50〜150 J	
体内直接通電	電極面積		32 cm^2	9 cm^2
	出力エネルギー	心室 （非同期通電）	20〜60 J	5〜20 J

（最新 医用治療機器学. 医歯薬出版, p.41, 2024）

❱体内通電時（開胸下）での通電出力は体外通電時の 1/10 程度（20〜60 J）に設定する.

○種類と適応

	体外式		植込み式
	手動式除細動器 DC	自動体外式除細動器 AED	植込み型除細動器 ICD
対象	心室細動（VF） 心室頻拍（VT） 心房細動（AF） 心房粗動（AFL） 心房頻拍（AT）	心室細動 心室頻拍 ※意識と呼吸なし	心室細動 ※ Brugada 症候群 心室頻拍

○AED（自動体外式除細動器）

AED の構成

項目	仕様
電源	内部バッテリ駆動（リチウム電池） 充電不要，約 5 年で交換
パッド	成人用と小児用あり 約 2 年で交換
出力波形	二相性（バイフェージック）

❱AED の通電パッドは心電図の電極を兼ねる.

❱AED の心電図から心室細動を自動的に認識する.

AED 使用時の注意点

❱AED は医療機関以外の場所にも設置できる.

❱AED は医師，救急救命士以外でも使用できる.

・AED は特別な許可がなくても一般市民が使用することができる.

・非医療従事者の AED 使用に必要な講習の受講は推奨されているが，義務づけられていない.

❱通電時に，操作者は傷病者や電極パッドに触れないように注意しなければならない.

❱ペースメーカまたは ICD 植込み患者は，電極パッドをジェネレータより約 2.5 cm 離して通電する.

❱体が濡れている際は，タオルなどで水分を拭き取りパッドを装着する.

❷貼り薬をしている患者は，電極パッドを装着する前に貼り薬を剥がしてから装着する．

❷酸素ボンベ使用時は，通電を行う際に，酸素ボンベまたは供給装置を患者から遠ざける．

❷小児用電極パッドを使用すれば，8歳未満の小児にも使用可能．

○ICD（植込み型除細動器）【34回】【36回】━━━━━━━━━━━━━━ ★★

❷植込み型除細動器の機能
- ・抗頻拍ペーシング機能
- ・カルディオバージョン
- ・除細動

❷ICDは右室に留置したコイル電極と前胸部に埋め込んだ本体または上大静脈（右房）内のコイル電極間で通電する．

❷ICDは心臓へ直接通電となるため，通電エネルギーは10〜30Jである．

❷頻拍を感知すると，頻拍停止機能が作動する．

❷出力波形は二相性（バイフェージック）．

❷ICD植込み術では，開胸手術では行わず，全身麻酔または局所麻酔で行われる．

❷ICD植込み時には心室細動を発生させて除細動できることを確認する．

❷適応疾患
- ・心室性頻脈性不整脈
- ・突発性心室細動
- ・QT延長症候群
- ・ブルガダ（Brugada）症候群　など

○取り扱いと安全管理 【37回】━━━━━━━━━━━━━━━━━━ ★★

除細動器のトラブルと対策

トラブル	原因	対策
無効刺激 （熱傷）	パドルに塗るペースト不足 パドルの押しつけ不十分	ペーストを十分に塗布 パドルを約10 kg以上の力で押しつける
電極の短絡	胸壁全体にペースト塗布 通電部位の濡れ	ペーストを過剰に塗布しない 通電部位を拭く
電極部での 熱傷	皮膚インピーダンスが上昇すると，そこでのエネルギー消費が増加し熱傷となる	パドルはペーストを十分に塗布し，約10 kg以上の力で押しつける
感電	通電経路に触っていて感電	通電時は患者に触らない

体外式除細動の性能点検 【35回】【37回】━━━━━━━━━━━━━ ★★

負荷抵抗	50 Ω（無誘導抵抗）
最大エネルギーの充電時間	15秒以内
内部放電機構が働くまでの時間	30秒〜1分程度
設定エネルギー値と測定値の誤差	±15%か4Jのいずれかの大きなほう以内
最大エネルギー充電後，30秒後または内部放電機構が働くまでのエネルギー損失	15%未満（85%）を保持
電極部と本体外装間の浮遊静電容量	2 nF以下
電極部と本体外装の絶縁抵抗 出力フローティング	10 MΩ以上 絶縁抵抗計（メガー）を用いる

日常点検

- ❯外装点検
- ❯作動点検
- ❯備品チェック（電極パッドなど）
- ❯バッテリ残量
- ❯表示ラベル
- ❯インジケータ

定期点検

- ❯同期感度（AED では不要）

医用治療機器学 第2版
p.64～88

最新 医用治療機器学
p.66～89

（4）心臓ペースメーカ

○ **原理，構造** 【33回】【34回】【36回】【37回】 ─────────── ★★★

- ❯パルス幅
  - ・植込み型：0.5 ms 前後に設定.
  - ・体外式：0.5～2.0 ms
- ❯パルス電圧：1～10 V
- ❯パルス電流：2～20 mA
- ❯最大出力
  - ・植込み型：7.5 V
  - ・体外式（定電流型）：20 mA
- ❯電極設置位置
  - ・心房内電位：2 mV 以上
  - ・心室内電位：5 mV 以上
- ❯電源にはヨウ素リチウム電池が使用される.
- ❯電池の寿命は 7～8 年程度.
- ❯ジェネレータ（本体）は鎖骨下皮下組織と筋肉層の間に留置する場合が多い.
- ❯ジェネレータはチタン合金製のケースに密封されている.
- ❯電極の材質には，白金イリジウム，チタン，カーボンなどが使用される.
- ❯心内膜電極は右心房や右心室に留置する.
- ❯リードレスペースメーカはリードを必要とせず心臓体内に本体を送り込み，直接右心室に留置する. 本体のみでペースメーカ機能を担う.
- ❯リードレスペースメーカは X 線透視下に留置する.
- ❯植込み後のフォローアップにおいて，テレメトリー機能による心内心電図測定ならびにペースメーカの設定確認，プログラム変更などを行う.
- ❯ペースメーカは微小な電位を感知しながら適切なペーシングを行うので，電磁的なエネルギーを出力する機器（電気メス，MRI，ハイパーサーミアなど）によって雑音障害を受ける.
- ❯刺激閾値は植込み直後に上昇するが，しばらくすると低下し 1ヶ月程度経つと落ち着く.
- ❯体外式ペースメーカの出力点検時の負荷抵抗は 500 Ω を用いる.

○CRT（心臓再同期療法）【36回】【37回】 ————————————————— ★★

❷重症心不全が対象であり，専用ペースメーカを CRT-P と呼ぶ．

❷両心室を刺激し，左室と右室を同時に収縮させ心不全状態を改善する．

❷左心室用電極リードが必要である．

❷対象

・薬剤抵抗性の NYHA 分類クラス III，IV で QRS 幅が 120 ms 以上

・左室駆出率（LVEF）が 35% 未満

❷致死性不整脈を合併した重症心不全症例に対しては，CRT-P に除細動機能がついた CRT-D が使用される．

カテーテル電極（単極リードと双極リード）

単極リード	双極リード
リード先端：陰極（マイナス） 本体：陽極（プラス） 構造が単純（細く作れる，信頼性が高い） 検出心電位の振幅が安定 筋攣縮の誘発の可能性 心電図に混入するアーチファクトが大きい 雑音が混入しやすい	Distal：遠位側，陰極（マイナス） Proximal：近位側，陽極（プラス） 構造が複雑（太くなる，信頼性が単極リードより劣る） 検出心電位の振幅が不安定 筋攣縮は起こしにくい 心電図に混入するアーチファクトが小さい 雑音が混入しにくい

○種類

ICHD コード 【33回】【34回】 ————————————————— ★★

1 文字目	2 文字目	3 文字目	4 文字目	5 文字目
刺激（ペーシング）部位	感知（センシング）部位	制御方式	付加機能	マルチサイトペーシング
A：心房 V：心室 D：両者 　（心房と心室） O：なし （S：single）	A：心房 V：心室 D：両者 　（心房と心室） O：なし （S：single）	T：同期型 　（トリガー） I：抑制型 D：両者 　（同期と抑制） O：なし	R：心拍応答機能 O：なし	A：心房 V：心室 D：両者 　（心房と心室） O：いずれも 　持たない

❷ペースメーカの役割はペーシング（電気刺激により心筋を興奮させる）とセンシング（自発の心筋の興奮を検出する）．

❷デマンド機能は自己心拍をセンシングし，自己心拍を優先したペーシングを行う（pulse on T 対策に有効）．

❷デマンド型はペーシング電極で心内心電図を検出する．

❷自己心拍とペーシングの競合は spike on T の危険がある．

❷抑制型：自発をセンシングしたらペーシング抑制する．

❷同期型：自発をセンシングした直後にペーシングする．

AAI モード 【33回】【34回】 ————————————————— ★★

❷心房のみのペーシングを行う．

DDD・VDD モード　【33回】【34回】【37回】　　　　　　　　　　　　　　★★★

- ❷2本の電極（デュアルチャンバ）で心房と心室の両方のセンシングとペーシングを行う.
- ❷VDD は，心室のみに電極をおく（心房は浮遊リード）.
- ❷VDD は心房の自発興奮をセンシングし，それに同期して心室のみをペーシングする.
- ❷DDD は心房と心室の両方でペーシングを行う（電極リードは2本必要であり，心房と心室に電極をおく）
- ❷DDD は慢性心房細動では使用されない（同期をかけることができないため）デュアルチャンバ.
- ❷DDD モードでは，慢性心房細動以外のすべての徐脈性不整脈が適応.
- ❷DDD モードでは，心房ペーシングの閾値は心室ペーシングの閾値より高い.
- ❷不応期は 170～500 ms の間で調節する.
- ❷心房同期心室ペーシング
- ❷AV ディレイ（AV インターバル：120～250 ms 程度に設定）.

VVI モード　【33回】【37回】　　　　　　　　　　　　　　　　　★★

- ❷VVIR モードでは人体の活動量に応答する機能がある.
- ❷VVI では，心室で刺激・感知を行い，自発電位によってペーシングが抑制される.
- ❷VVI では，房室間の生理的協調は得られない.
- ❷心室のペーシングとセンシングが行われる.
- ❷電極リードは1本である.
- ❷右心室に電極リードを留置
- ❷デマンド機能
- ❷非生理的ペーシング
- ❷ペースメーカ症候群
- ❷慢性心房細動の徐脈にも用いられる.

VOO モード　【33回】　　　　　　　　　　　　　　　　　　　★★

- ❷固定レートペーシング
- ❷非同期ペーシング
- ❷電気メス使用時の電磁干渉によるオーバーセンシングを回避する場合などで用いる.
- ❷spike on T に注意.

VVIR モード

- ❷人体の活動量に反応する機能がある.

○適応

- ❷洞不全症候群
- ❷房室ブロック（3度房室ブロック，Mobitz II 型房室ブロック）
- ❷徐脈性心房細動などの徐脈性不整脈　など

○取り扱いと安全管理　　　　　　　　　　　　　　　　　　　★

- ❷心臓内に電極リードでつながれた体外式のペースメーカで機器漏電により，ミクロショックが発生する.

ペーシング不全の原因

- ❯電極脱離
- ❯リード線断線
- ❯電磁波干渉
- ❯電池消耗

植込み型ペースメーカの誤作動原因

- ❯MRI
- ❯低周波治療器
- ❯ハイパーサーミア
- ❯電動工具
- ❯電気溶接機
- ❯電気メスによって雑音障害

植込み型ペースメーカに電磁干渉するもの

- ❯X 線 CT
- ❯電子商品監視装置（EAS）
- ❯電子タグ機器（RFID）
- ❯携帯電話（15 cm 以上離すよう推奨されている）

（5）カテーテルアブレーション装置

医用治療機器学 第2版
p.88〜90
最新 医用治療機器学
p.89〜91

○ 原理，構造 【35 回】【37 回】 ─────── ★★

- ❯経静脈的ないし経動脈的に電極カテーテルを心臓血管内に挿入する．
- ❯カテーテルを通じて体外から高周波電流を不整脈発生源である心筋組織に加え，これを焼灼・破壊する治療法である．
- ❯カテーテル先端のサーミスタにより温度をモニタし，設定温度になるまでの高周波の出力を自動的に調節する．
- ❯カテーテル先端の電極と体表に貼付した対極板との間に 300〜700 kHz の高周波電流が必要である．
- ❯カテーテル先端温度は 50〜70℃に上昇する．
- ❯対極板は電流を安全に回収するためのデバイスであり，カテーテル先端に接している組織が焼灼される．
- ❯高周波の影響によるペースメーカや ICD の誤作動防止のため，事前にプログラム変更等を行っておく．

○ 適応

カテーテルアブレーションの適応

- ❯心室頻拍
- ❯WPW 症候群
- ❯房室結節リエントリ頻拍
- ❯心房粗動
- ❯心房細動
- ❯上室性頻拍

(1) 電気メス

問題 1 ☐☐☐ 30P35

電気メスのディスポーザブル対極板の装着について正しいのはどれか.

- a. 対極板の一点に荷重がかからないようにする.
- b. 対極板の装着部には絶縁性のある消毒液を使用する.
- c. 対極板コードをコイル状に巻く.
- d. 身体が小さい場合は対極板を切って小さくする.
- e. 対極板と皮膚との間に空気が入らないようにする.

1. a, b　2. a, e　3. b, c　4. c, d　5. d, e

問題 2 ☐☐☐ 27P33

電気メスについて正しいのはどれか.

- a. スプレー凝固にはバースト波が用いられる.
- b. ゲルパッド型対極板は静電結合である.
- c. バイポーラ電極はニードル型である.
- d. 対極板は広く均一に装着する必要がある.
- e. 混合モードではクレストファクタが大きいほど凝固作用は強い.

1. a, b, c　2. a, b, e　3. a, d, e
4. b, c, d　5. c, d, e

問題 3 ☐☐☐ 34A34

電気メスについて正しいのはどれか.

- a. バイポーラ電極は対極板が必要である.
- b. 凝固にはバースト波を用いる.
- c. 身体の部分同士の接触が分流熱傷の原因となる.
- d. ペースメーカ障害の原因となる.
- e. 出力電力の増加に伴い対極板の必要面積は減少する.

1. a, b, c　2. a, b, e　3. a, d, e
4. b, c, d　5. c, d, e

問題 4 ☐☐☐ 35P34

電気メスについて正しいのはどれか.

- a. 対極板の接触面積は $10\ cm^2$ 前後である.
- b. ゲルパッド型は静電結合である.
- c. 導電結合型対極板は, 静電結合型よりも接触インピーダンスが高い.
- d. 高周波漏れ電流の測定には $200\ \Omega$ の無誘導抵抗を使用する.
- e. アクティブ電極と生体接触部のインピーダンスは $400\ \Omega$ 前後である.

1. a, b　2. a, e　3. b, c　4. c, d　5. d, e

問題 5 ☐☐☐ 35A33

電気メスについて正しいのはどれか.

- a. 利用しているのはグロー放電である.
- b. 凝固の出力波形は連続正弦波である.
- c. 切開時の搬送波は $10\ kHz$ である.
- d. 高周波非接地形は対極板回路を接地より絶縁している.
- e. モノポーラ出力使用時には対極板が必要である.

1. a, b　2. a, e　3. b, c　4. c, d　5. d, e

問題 6 ☐☐☐ 36A33

電気メスについて誤っているのはどれか.

- a. 切開には連続波を用いる.
- b. 使用出力は数十 kW である.
- c. 対極板はアクティブ電極である.
- d. 対極板の接触面積は成人ではおよそ $150\ cm^2$ である.
- e. $300 \sim 500\ \Omega$ の負荷抵抗で校正する.

1. a, b　2. a, e　3. b, c　4. c, d　5. d, e

問題7 ☐☐☐ 36P34

電気メスの対極板の電極部分が2つに分かれている理由はどれか.

1. 高周波分流をモニタする.
2. 対極板の接触不良をモニタする.
3. 患者回路の連続性をモニタする.
4. 対極板コードの断線をモニタする.
5. 対極板コードコネクタの接続不良をモニタする.

（2）極超短波（マイクロ波）手術装置

問題8 ☐☐☐ 27A34

マイクロ波メスについて正しいのはどれか.

a. 2.45 GHz の周波数が使用される.
b. 対極板は不要である.
c. 出力エネルギーは組織の水分に吸収される.
d. 組織の比誘電率が大きいほど波長が長くなる.
e. 組織の凝固範囲は電極の形状で変化しない.
1. a, b, c　2. a, b, e　3. a, d, e
4. b, c, d　5. c, d, e

問題9 ☐☐☐ 31P32

マイクロ波手術装置で正しいのはどれか.

a. ISM 周波数を使用する.
b. 同軸ケーブルを使用する.
c. 渦電流損で発熱する.
d. 対極板を使用する.
e. 組織を凝固する.
1. a, b, c　2. a, b, e　3. a, d, e
4. b, c, d　5. c, d, e

問題10 ☐☐☐ 23A35

マイクロ波手術器について正しいのはどれか.

a. 使用する波長は1〜2mm である.
b. 組織中の水に発生するジュール熱を利用する.
c. モノポーラ型針電極を使用する.
d. 凝固作用が中心である.
e. 他の医療機器に対する電磁的影響は少ない.
1. a, b　2. a, e　3. b, c　4. c, d　5. d, e

問題11 ☐☐☐ 24P33

マイクロ波手術装置で誤っているのはどれか.

a. 電子レンジと同じ周波数のマイクロ波が用いられる.
b. マイクロ波の発生にはマグネトロンが用いられる.
c. 手術電極に付着した組織を解離させるために直流電流を流す.
d. 大きな面積の対極板が必要である.
e. 鋭利な切開に適している.
1. a, b　2. a, e　3. b, c　4. c, d　5. d, e

問題 12　□□□　　28P33

除細動器について正しいのはどれか.

- a．AED の出力波形は単相性である.
- b．非医療従事者の AED 使用には講習会の受講が義務づけられている.
- c．手動式除細動器の日常点検として作動点検を行う.
- d．植込み型除細動器の抗頻拍ペーシング機能を備えている.
- e．植込み型除細動器の除細動波形は単相性である.
1. a, b　2. a, e　3. b, c　4. c, d　5. d, e

問題 13　□□□　　30P34

除細動器について正しいのはどれか.

- a．通電時間は 2〜5 秒である.
- b．交流除細動方式が一般的である.
- c．5000 J 前後で体外充電する.
- d．成人の体外充電では 50 cm^2 程度の電極を使用する.
- e．体内通電時は体外通電よりも低い出力に設定する.
1. a, b　2. a, e　3. b, c　4. c, d　5. d, e

問題 14　□□□　　31P33

植込み型除細動器（ICD）について正しいのはどれか.

1. Brugada 症候群には禁忌である.
2. 頻脈停止機能を有する.
3. 刺激電極は左室に留置する.
4. 開胸手術で留置する.
5. 360 J で刺激する.

問題 15　□□□　　24P41

AED の日常点検における確認事項でないのはどれか.

1. 同期感度
2. バッテリ
3. 電極パッド
4. 表示ラベル
5. インジケータ

問題 16　□□□　　35A34

体外式除細動器で正しいのはどれか.

- a．二相性波形は半導体スイッチにより極性を反転する.
- b．出力パルス幅は 2〜5 μs である.
- c．出力端子の一方は接地されている.
- d．通電テストには 50 Ω の無誘導抵抗を用いる.
- e．心房細動除去には R 波同期装置を用いる.
1. a, b, c　2. a, b, e　3. a, d, e
4. b, c, d　5. c, d, e

問題 17　□□□　　34A33

電流が直接作用する治療はどれか.

1. ECMO
2. ESWL
3. IABP
4. ICD
5. PTCA

問題 18　□□□　　37P34

体外式除細動器について正しいのはどれか.

- a．電極パドルへの導電性ゼリー塗布不良は熱傷リスクとなる.
- b．通電テストには 50 Ω 負荷抵抗を使用する.
- c．心室細動除去では R 波同期スイッチをオンにする.
- d．通電時に, 介助者は患者を保持し体動を防ぐ.
- e．電極パドルの通電ボタンは左右いずれか片方を押す.
1. a, b　2. a, e　3. b, c　4. c, d　5. d, e

（4）心臓ペースメーカ

ペースメーカ植込みの適応となるのはどれか.

- a．Wenckebach 型房室ブロック
- b．WPW（Wolf-Parkinson-White）症候群
- c．心室細動
- d．洞機能不全症候群
- e．徐脈性心房細動

1. a, b　2. a, e　3. b, c　4. c, d　5. d, e

植込み型ペースメーカについて正しいのはどれか.

- a．洞不全症候群（SSS）は適応疾患である.
- b．NBG（ICHD）コードの 4 番目の文字 R は心拍応答機能を示す.
- c．DDD ペースメーカの電極リードは 1 本である.
- d．ニッケル水素電池が用いられる.
- e．ジェネレータはチタン合金製のケースに密封されている.

1. a, b, c　2. a, b, e　3. a, d, e
4. b, c, d　5. c, d, e

植込み型心臓ペースメーカについて正しいのはどれか.

- a．ジェネレータ（本体）は心嚢内に留置する.
- b．心内膜電極は左室に留置する.
- c．ICHD（NBG）コードの 3 文字目の I は抑制を意味する.
- d．電極留置直後は刺激閾値が上昇する.
- e．500 ms 前後の刺激パルスが効率的である.

1. a, b　2. a, e　3. b, c　4. c, d　5. d, e

植込み型ペースメーカについて正しいのはどれか.

1. AAI は心室をペーシングする.
2. デマンド機構は pulse on T 対策には無効である.
3. デュアルチャンバ・ペースメーカの AV ディレイは 120～250 ms 程度に設定する.
4. 電極は自己心拍の心内波高値が 1 mV 以下の箇所に留置する.
5. X 線 CT はペースメーカの誤作動を起こさない.

心臓ペースメーカについて正しいのはどれか.

- a．胸腔内にジェネレータ（本体）を留置する.
- b．NBG（ICHD）コードの第二文字はセンシング部位を表す.
- c．パルス幅は 0.5 ms 前後である.
- d．電極装着直後は刺激閾値の低下が続く.
- e．体外式ペースメーカの出力点検時には 50 Ω の負荷抵抗を接続する.

1. a, b　2. a, e　3. b, c　4. c, d　5. d, e

植込み型の不整脈治療機器について正しいのはどれか.

- a．植込み型除細動器（ICD）はペースメーカの機能も有する.
- b．心臓再同期療法（CRT）用ペースメーカは心不全症例に使う.
- c．リードレスペースメーカは右心室に留置する.
- d．電源としてアルカリ電池を使用する.
- e．体外式超音波診断装置の誘導下でリードを留置する.

1. a, b, c　2. a, b, e　3. a, d, e
4. b, c, d　5. c, d, e

植込み型心臓ペースメーカについて正しいのはどれか.

a. 電源にはリチウムイオン電池が使用される.
b. VDD 型ペースメーカの電極リードは 2 本必要である.
c. DDD 型ペースメーカでは A-V ディレイの設定が必要である.
d. リードレスペースメーカは X 線透視下に留置する.
e. 心臓再同期療法（CRT）では左心室用電極リードが必要である.

1. a, b, c　2. a, b, e　3. a, d, e
4. b, c, d　5. c, d, e

（5）カテーテルアブレーション装置

カテーテルアブレーションの適応とならないのはどれか.

1. 心房細動
2. 心室頻拍
3. 上室性頻拍
4. WPW 症候群
5. Brugada 症候群

カテーテルアブレーション装置について正しいのはどれか.

1. 治療時のカテーテル先端の温度は 300℃である.
2. 低周波電流を発生させる.
3. 対極板は不要である.
4. 術後心機能が低下する.
5. カテーテル先端を目的部位に接触させて治療する.

RF カテーテルアブレーションについて正しいのはどれか.

a. 徐脈性不整脈の治療に用いる.
b. X 線透視装置は不要である.
c. カテーテル電極先端は 300℃以上になる.
d. カテーテル電極から高周波電流を流す.
e. ペースメーカの誤作動を起こす.

1. a, b　2. a, e　3. b, c　4. c, d　5. d, e

〈解答〉問題 1-2，問題 2-3，問題 3-4，問題 4-5，問題 5-5，問題 6-3，問題 7-2，問題 8-1，問題 9-2，問題 10-4，問題 11-5，問題 12-4，問題 13-5，問題 14-2，問題 15-1，問題 16-3，問題 17-4，問題 18-1，問題 19-5，問題 20-4，問題 21-3，問題 22-2，問題 23-3，問題 24-1，問題 25-5，問題 26-5，問題 27-5，問題 28-5

3. 機 械 的 治 療 機 器

（1）吸引器

医用治療機器学 第2版
　p.93～96
最新 医用治療機器学
　p.93～96

○原理，構造 【36回】 ★★

- ❯胸腔ドレナージで吸引する場合の圧の単位は cmH_2O.

ドレナージ方法

- ❯ウォーターシールド方式
  - ・胸腔内圧が高くなると気体は大気へ押し出されるが，水が弁の役割をしているため，胸腔内圧が陰圧となっても大気は胸腔へ流れないようになっている.
- ❯3連ボトル方式

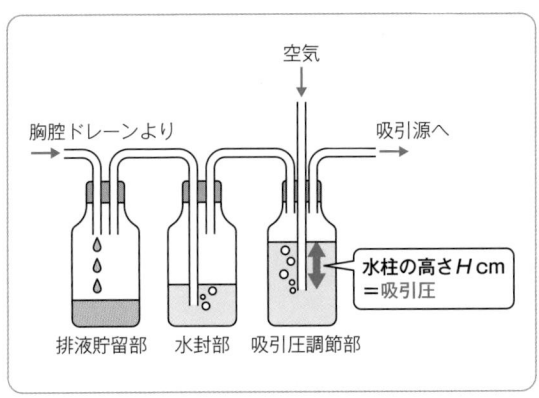

図　胸腔ドレナージ回路の原理
（最新 医用治療機器学. 医歯薬出版, p.95, 2024）

  - ・$-10～-15\ cmH_2O$ の陰圧を胸腔内にかけるため，吸引調節ボトルを接続したもの.
  - ・吸引調節ボトルに陰圧を徐々にかけると管の水面下の圧までは，かけた陰圧が胸腔内に伝わることになる.

○取り扱いと安全管理

- ❯低圧持続吸引器を使用する.
- ❯ドレーンは局所麻酔下を行い挿入する.
- ❯吸引源としてアウトレットに接続してから吸引圧をかける.

（2）輸液ポンプ，シリンジポンプ

医用治療機器学 第2版
　p.119～134
最新 医用治療機器学
　p.118～131

○種類

輸液ポンプの分類 【34回】 ★★

方式		名称
機械注入方式	ピストンシリンダ方式	シリンジポンプ
		ボルメトリックポンプ
	ペリスタルティック方式	ローラポンプ
		フィンガポンプ
自然滴下方式	輸液コントローラ	滴数制御型
		流量制御型
予圧注入方式 (国試では与圧注入方式とも表記される)		バルーン式インフューザ
		バネ式インフューザ

- ❥シリンジポンプの精度：±3％以内
- ❥輸液ポンプの精度：±10％以内
- ❥成人用点滴セットは 20 滴で 1 mL である.
- ❥小児用点滴セットは 60 滴で 1 mL である.
- ❥流量制御型の方が滴数制御型よりも流量の精度が高い.

ピストンシリンダ方式　【33回】【35回】 ────────────────── ★★
〈シリンジポンプ〉
- ❥微量注入に適する.
- ❥低流量でも高精度が得られる.
- ❥心臓血管作動薬の静脈内持続投与時に推奨する.
- ❥ポンプが患者より高い位置にあると落差によりサイフォニング現象が発生する.
- ❥不適切な取り付けをした場合，シリンジポンプでもフリーフロー現象が発生することがある.
- ❥塩化ビニル吸着性薬剤の投与に適している.
- ❥検出機能
  - ・輸液回路の閉塞
  - ・シリンジのサイズ
  - ・押し子の取り付け不良
  - ・内蔵バッテリ電圧低下
  - ・残量なし
- ❥検出機能に気泡アラームはない.
〈ボルメトリックポンプ〉
- ❥専用カートリッジが必要.
- ❥高価であり，セットアップに時間がかかる.

ペリスタルティック方式　【34回】【37回】 ────────────────── ★★
〈ローラポンプ〉
- ❥一方向に回転するローラがチューブをしごくことで薬液を送り出す方式.
- ❥弁による流入方向の制御はない.
〈フィンガポンプ〉
- ❥機械注入方式に分類される.
- ❥蠕動運動によりチューブを順次圧迫して薬液を送り出す.
- ❥輸液セットのクレンメは機器本体よりも下につける.
- ❥フリーフロー現象が起こる.
- ❥検出機能
  - ・チューブの膨張から輸液回路の閉塞を検出する.
  - ・超音波の透過量によって気泡の混入を検出する.
  - ・赤外線の受光量によって滴下数を検出する.
  - ・ホールセンサを用いてドアの開閉状態を検出する.
  - ・輸液セットの種類は滴下センサ，滴数設定の誤りで検出される.
  - ・輸液流量を自動計測する.
  - ・輸液剤の終了を自動報知する.

輸液コントローラ 【33回】【36回】 ──────────────────── ★★

〈滴数制御型〉
- ❯滴下数を検出する滴下センサと，設定した滴下数となるようにチューブの圧閉度を調整するオクルーダーからなる．
- ❯汎用の輸液セットの使用が可能．
- ❯滴下センサは赤外線を用いる．
- ❯薬液の性状により流量に誤差が生じる．
- ❯滴下センサの光が滴下口や液面で遮られないようにする．
- ❯薬液の表面張力の影響を受ける．

〈流量制御型〉
- ❯チューブの径や弾力性によって流量が変化する．
- ❯ポンプ専用の輸液セットを用いる．
- ❯薬液性状の影響を受けないため流量精度は高い．

予圧注入方式 ──────────────────────────── ★

- ❯携帯型でディスポーザブルとして用いられる．
- ❯バネとピストンで圧力をかけるバネ式インフューザ，バルーンで圧力をかけるバルーン式インフューザがある．

◯取り扱いと安全管理 【34回】【35回】 ──────────── ★★

フリーフロー現象
- ❯輸液ポンプなどを交換する際，クレンメを閉めずに輸液ラインを外したため，フリーフロー状態となり急速輸液をしてしまう．

サイフォニング現象
- ❯シリンジポンプの固定不良により，何らかの原因で外れた際に発生する落差による大量注入．

（3）体外式結石破砕装置

医用治療機器学 第2版
p.97〜110
最新 医用治療機器学
p.97〜109

◯原理，構造 ──────────────────────────── ★

- ❯結石は衝撃波が通り抜ける反対側でも破砕される．
- ❯骨組織の音響インピーダンスは水や生体軟組織より大きく，骨に当たった衝撃波はそれ以上体内に進まない．
- ❯衝撃波の発生には，絶対不応期に合わせる心電同期装置が必要である．
- ❯衝撃波は液体中で発生させる．
- ❯液体は脱気水を用いる．
- ❯尿管結石の照準には超音波とX線透視があるが，X線透視の方が認識しやすい．

種類と衝撃波発生源 【34回】 ★★

破石術	衝撃波発生方法
体外衝撃波結石砕石術 （ESWL）	電極放電式
	圧電放電方式
	電磁振動方式（電磁板方式）
経皮的腎砕石術（PNL） 経尿道的尿管砕石術 （TUL）	超音波結石砕石術
	電気水圧結石砕石術
	レーザ結石砕石術

ESWL：extracorporeal shock wave lithotripsy, PNL：percutaneous nephrolithotripsy, TUL：transurethral ureterolithotripsy

電極放電方式
- ❯回転楕円体の第1焦点で衝撃波を発生させ，第2焦点に位置合わせした結石に衝撃波を集束させ砕く.
- ❯水中衝撃波を利用して結石を破砕する.
- ❯スパークギャップ法（コンデンサに蓄えられた高電圧のプラグを用い，水中でスパーク放電させる）を用いる.
- ❯腸管組織には損傷の危険があるため，使用できない.

圧電放電方式
- ❯圧電方式では結石の位置を焦点に合わせる.
  - ・球の中心に衝撃波を集束し当てる.
- ❯圧電素子を使って電圧を加えてひずみを生じさせることで衝撃波を発生する.
- ❯多数の圧電素子に電圧を加えてパルス超音波を発生させる.

電磁振動（電磁板）方式（平面コイル，円筒型コイル）
- ❯電磁コイルを用いて衝撃波を発生させる.
- ❯平面コイル型電磁誘導方式では凸音響レンズが用いられる.
- ❯平面コイル＋音響レンズまたは円筒型コイル＋パラボラ型反射体を用いて収束する.

結石の照準方法 【34回】【37回】 ★★
超音波観察方式
- ❯骨盤や骨に重なるため，尿管結石の描出が難しい.
- ❯超音波による照準は常時観察が可能である.

X線観察方式
- ❯尿酸結石の約95％がX線に写るカルシウム含有結石であり，また破砕程度の認識が容易で直ちに確認できる.
- ❯結石が尿酸，シスチン，キサンチン，タンパクの場合は確認ができない.
- ❯腸内ガスの影響は受けない.

適応 【33回】【34回】 ★★
- ❯体外衝撃波結石砕石術（ESWL）は，腎結石や尿管結石などの上部尿路結石が第一選択となる.

・治療可能なものは，腎結石（母指頭大以下），腎盂結石，腎杯結石，尿管結石など
の上部尿路結石．
・腸骨稜上縁より上部の尿管結石症に適応する．
❸繰り返す尿路結石，水腎症は ESWL の適応となる．
❸結石の多くがシュウ酸カルシウム．
❸母指頭大以下の腎結石治療の第一選択である．
❸下部尿路結石などには経皮的腎尿管砕石術（PNL）や経尿道的尿細管砕石術（TUL）
を選択する．

ESWL の禁忌 【37回】 ────────────────── ★★
❸無機能腎，腎実質内結石，腎杯憩室内結石など
❸妊婦
❸動脈瘤患者
❸膀胱結石　→ TUL（経尿道的尿管砕石術）を行う．
❸尿道結石　→ TUL（経尿道的尿管砕石術）を行う．

◯取り扱いと安全管理 【33回】【35回】 ──────────── ★★
❸空気含有臓器の肺や腸管（腸管内ガス存在下）などは，水と音響インピーダンスが大
きく異なるため，衝撃波により組織が損傷する可能性あり．

（4）血管内治療装置，その他のインターベンション装置

医用治療機器学 第2版
p.111〜119
最新 医用治療機器学
p.110〜117

◯画像下治療（interventional radiology；IVR），経皮的冠動脈インターベンション（percutaneous coronary intervention；PCI）
【33回】【34回】【35回】【36回】【37回】 ──────── ★★★

PTCA
❸PTCA の T は transluminal を意味する．
・PTCA とは，percutaneous transluminal coronary angioplasty の略で，経皮的冠動
脈形成術を意味する．
・percutaneous：経皮的
・transluminal：経管的
❸治療中に造影剤を使用する．
❸X 線透視下で，ガイドワイヤを用い，カテーテルを冠動脈および病変部へ誘導する．
❸局所麻酔下で実施できる．
❸冠動脈へカテーテルを到達させるため，動脈（上腕動脈，橈骨動脈，大腿動脈など）
からの挿入が必要である．
❸バルーンの拡張圧は 10 気圧程度，30〜60 秒保持する．
❸バルーン拡張時に冠動脈血流量は減少する．
❸PTCA の施行には冠動脈造影検査と同等の設備が必要である．

ステント 【37回】 ──────────────────── ★★
❸再狭窄防止にステントを挿入する．
❸バルーンのみの狭窄部の拡張は，再狭窄を起こしやすい．
❸ステントの材質はステンレススチール，タンタルやニッケルチタン合金などがある．

- ❯大動脈ステントグラフトは大動脈瘤の治療に用いる.
- ❯薬剤溶出性ステントは冠動脈ステント内の過剰な新生内膜の形成を抑制し，拡張部位の再狭窄を防止する.
- ❯ステント血栓防止のため，ステント留置直後から抗血小板薬が必要である.
- ❯ステントは血管内の狭窄や閉塞治療以外にも気管や胆管などの治療にも用いる.

プラーク切除術 【37回】 ★★

- ❯粥腫を機械的に切除する.
- ❯回転性アテレクトミーはロータブレータを用いる.
- ❯ロータブレータ使用で一時的な冠動脈血流減少が生じる.
- ❯狭窄部拡張中は冠血流が減少する.
- ❯ロータブレータ使用中は病変部に先端チップを接触させている間は血流を阻害しているため，使用中に冠血流が増加することはない.
- ❯ロータブレータは，毎分15万〜20万回転することよって動脈硬化組織を切除する.

経カテーテル的大動脈弁植え込み術（transcatheter aortic valve implantation；TAVI）

- ❯高齢者や手術リスクの高い患者に対して，開胸手術をすることなく大動脈弁を置換する治療法.
- ❯カテーテルを用いて人工弁を心臓に挿入し，弁を植え込む.
- ❯カテーテルの挿入方法は経大腿アプローチ，経心尖アプローチ，上行大動脈アプローチ，鎖骨下動脈アプローチなどがある.

○取り扱いと安全管理 【36回】 ★★

- ❯PCI前後に経胸壁心臓超音波診断装置を行い評価する.
- ❯PCI治療前には，冠動脈CT検査や血管内超音波検査（IVUS）によって，血管・血流の状態を把握する.
- ❯高リスク例では大動脈内バルーンパンピング（IABP）が必要である.

臨床工学技士国家試験問題　Check UP!

（1）吸引器

問題 1 □□□　32A37

胸腔ドレナージで持続吸引する場合，設定値は通常 −5〜−20の陰圧とするが，このときの単位はどれか.

1. kgf/cm^2
2. atm
3. cmH$_2$O
4. kPa
5. psi

問題 2 □□□　36A35

低圧持続吸引器の吸引圧 [cmH$_2$O] は図の中のどれか.

1. a
2. b
3. c
4. d
5. e

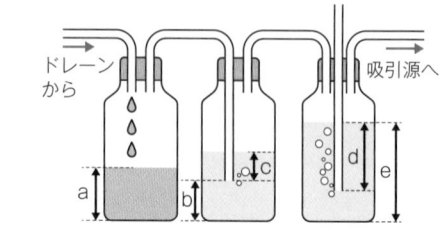

問題 3　□□□　31P34

正しいのはどれか.

a．シリンジポンプは大量急速注入に適する.
b．シリンジポンプには気泡アラームがついている.
c．輸液ポンプの滴下センサは赤外線を用いている.
d．流量制御型輸液ポンプでは専用の輸液セットを用いる.
e．携帯型ポンプには与圧注入方式がある.

1. a, b, c　2. a, b, e　3. a, d, e
4. b, c, d　5. c, d, e

問題 4　□□□　28A36

輸液ポンプについて正しいのはどれか.

1. シリンジポンプには閉塞アラームがない.
2. シリンジポンプには気泡アラームがある.
3. 滴数制御方式は薬液の表面張力の影響を受ける.
4. 低流量の場合にはフィンガ式が良い.
5. 滴下センサには紫外線を用いる.

問題 5　□□□　27P35

シリンジポンプに備わっている検出機能はどれか.

a．気泡の混入
b．輸液回路の閉塞
c．シリンジのサイズ
d．押し子の取り付け不良
e．サイフォニング

1. a, b, c　2. a, b, e　3. a, d, e
4. b, c, d　5. c, d, e

問題 6　□□□　32P34

輸液ポンプで誤っているのはどれか.

1. シリンジポンプは微量注入に適する.
2. 滴下センサには赤外線が用いられる.
3. ペリスタルティック方式には気泡アラームがある.
4. 流量制御型では汎用輸液セットが使える.
5. 与圧注入方式は小型軽量である.

問題 7　□□□　35A35

シリンジポンプについて正しいのはどれか.

a．自然滴下方式である.
b．気泡混入検出機能がある.
c．薬剤の精密注入に用いる.
d．サイフォニング現象が起こる.
e．大量輸液を行う際に有用である.

1. a, b　2. a, e　3. b, c　4. c, d　5. d, e

問題 8　□□□　34A36

輸液ポンプについて正しいのはどれか.

1. 微量薬液を高い定常性で送れるのはペリスタルティック方式である.
2. 流量制御型の方が滴数制御型よりも流量の精度が高い.
3. シリンジ型で起きるサイフォニング現象では，薬液がシリンジへ逆流する.
4. ペリスタルティック方式の場合，輸液セットのクレンメを機器本体よりも上につける.
5. JIS では輸液ポンプの精度は設定値に対して誤差が±15%以内と規定されている.

問題 9　□□□　36A36

流量制御型（容積制御方式）の輸液ポンプについて正しいのはどれか.

a．輸液の成分による誤差は生じない.
b．汎用の輸液セットが使用できる.
c．滴下センサが必要である.
d．滴数制御型（滴下制御方式）に比べて流量のばらつきが大きい.
e．圧閉される部分のチューブ内径の変化で誤差が生じる.

1. a, b　2. a, e　3. b, c　4. c, d　5. d, e

問題 10　□□□　37A34

輸液ポンプ使用時の異常検出に超音波を利用しているのはどれか.

1. 回路閉塞
2. 滴下異常
3. 気泡混入
4. ドア開放
5. フリーフロー発生

（3）体外式結石破砕装置

現在用いられている ESWL の衝撃波発生方式でないのはどれか.

- a. 電磁板方式
- b. 電極放電方式
- c. 圧電素子方式
- d. レーザ方式
- e. 圧縮空気方式

1. a, b　2. a, e　3. b, c　4. c, d　5. d, e

ESWL による結石破砕時に損傷の危険がある組織はどれか.

- a. 肺
- b. 腸
- c. 肝臓
- d. 腎臓
- e. 筋肉

1. a, b　2. a, e　3. b, c　4. c, d　5. d, e

ESWL について正しいのはどれか.

1. 平面コイル型電磁誘導方式ではパラボラ型反射体を用いる.
2. 電極放電方式では結石の位置を第一焦点に合わせる.
3. 超音波による照準は常時観察が可能である.
4. 尿道結石治療の第一選択である.
5. 腸管組織にも安全である.

ESWL について正しいのはどれか.

1. 膀胱結石治療の第一選択である.
2. 伝搬経路に存在する動脈瘤にも安全である.
3. X 線照準方式は腸管ガスの影響を受ける.
4. 水中放電方式では球の中心に衝撃波が集束する.
5. 電磁板方式では音響レンズが使用される.

ESWL について正しいのはどれか.

1. 電極放電方式では結石の位置を第 2 焦点に合わせる.
2. 圧電素子方式では音響レンズを用いる.
3. 超音波標準方式は尿管結石に有効である.
4. 膀胱結石治療の第一選択である.
5. 肺組織にも安全である.

体外衝撃波結石破砕装置について正しいのはどれか.

- a. 尿管結石の破砕時には超音波照準方式が適している.
- b. 心電図同期装置が必要である.
- c. 衝撃波は水中を伝播させる.
- d. 腹部大動脈瘤患者には使用禁忌である.
- e. 骨盤内の尿管結石に適用する.

1. a, b, c　2. a, b, e　3. a, d, e
4. b, c, d　5. c, d, e

（4）血管内治療装置，その他のインターベンション装置

問題 17　□□□　31A37

冠動脈インターベンション治療（PCI）について正しいのはどれか.

1. 上腕静脈からカテーテルを挿入する.
2. 患部まで超音波診断装置でカテーテルを誘導する.
3. 狭窄部ではバルーンを 0.2 MPa 程度に加圧する.
4. ロータブレータ使用時に冠動脈血流が減少する.
5. ステント留置直後から抗血小板療法は不要である.

問題 18　□□□　27A37

心・血管系インターベンション治療について誤っているのはどれか.

a. PCI はガイドワイヤを用いずに施行する.
b. PCI ではステントを用いることで再閉塞が減少する.
c. 大動脈ステントグラフトは大動脈瘤の治療に用いる.
d. 回転性アテレクトミーはロータブレータを用いる.
e. 薬剤溶出性ステントは血栓性閉塞を予防する目的で用いる.

1. a, b　2. a, e　3. b, c　4. c, d　5. d, e

問題 19　□□□　35A36

経皮的冠動脈インターベンション治療（PCI）について正しいのはどれか.

1. 体外式超音波診断装置を用いてカテーテルを誘導する.
2. バルーン拡張庄は 100 気圧程度である.
3. 狭窄部拡張中の冠血流量は減少する.
4. ステント留置後の抗凝固療法は禁忌である.
5. ロータブレータはレーザを用いる.

問題 20　□□□　34P35

冠動脈インターベンション治療について正しいのはどれか.

1. 治療中の冠動脈造影は不要である.
2. 治療中の血管内超音波診断装置の使用は禁忌である.
3. バルーン拡張圧は 10 気圧程度である.
4. ステント留置後の再狭窄はない.
5. 補助循環装置の待機は不要である.

問題 21　□□□　36P36

経皮的冠動脈インターベンション治療（PCI）について正しいのはどれか.

1. PCI 中の血管内超音波診断装置（IVUS）の使用は禁忌である.
2. 再狭窄予防のためにステントを留置する.
3. カテーテルは X 線 CT 誘導下に挿入する.
4. バルーン拡張圧は 50 気圧程度である.
5. 補助循環装置の準備は不要である.

問題 22　□□□　37P36

IVR（interventional radiology）治療について正しいのはどれか.

a. 動脈瘤治療にも適応がある.
b. TAVI とは経カテーテル的大動脈弁植込み術のことである.
c. 冠動脈インターベンション時の X 線透視は不要である.
d. ステントは血管内のみに使用される.
e. ロータブレータは消化管狭窄に使用する器材である.

1. a, b　2. a, e　3. b, c　4. c, d　5. d, e

〈解答〉問題 1-3，問題 2-4，問題 3-5，問題 4-3，問題 5-4，問題 6-4，問題 7-4，問題 8-2，問題 9-2，問題 10-3，問題 11-5，問題 12-3，問題 13-1，問題 14-1，問題 15-5，問題 16-4，問題 17-4，問題 18-2，問題 19-3，問題 20-3，問題 21-2，問題 22-1

（1）レーザ手術装置

○概要

- レーザメスは，光熱作用により超音波凝固切開装置と同様に 60〜70℃程度でタンパク質の熱変性を起こし凝固させる．
- レーザ光はレンズの焦点を絞るほど小さな集光径となり，焦点深度が深くなる．
- 不可視レーザのガイドに He-Ne レーザを用いる．
- 400〜780 nm の波長は可視光．
- 可視光で波長が短いほうから，紫，藍，青，緑，黄，橙，赤に見える．
- 可視光はヘモグロビンでよく吸収される．
- 可視光，近赤外光は網膜に集光するので危険である．
- 波長が短いほど（周波数が高い）光子のエネルギーは大きい．
- 波長が短いほど組織深部まで到達する．
- レーザ光は可干渉性（コヒーレンス），単色性，指向性，高輝度性，収束性に優れている．
- レーザ光は反射，屈折，吸収，透過，回折の現象が起こる．ドプラ効果もある．

○レーザの種類

CO_2 レーザ 【33回】【34回】【35回】【36回】 ―――――――――――― ★★★

- レーザ波長は 10.6 μm（10,600 nm）．
- レーザ光は水分に吸収される．
- 気体レーザであり，パルス放電励起が用いられる．
- 伝送路（導光路）として多関節マニピュレータが使用される．
- CO_2 を含む混合ガスに放電を加えて励起する．
- 組織への侵達度が浅く，切開・蒸散用として用いられる．
- 切開が中心．
- 切開作用は CO_2 レーザの方が Nd：YAG レーザよりも強い．
- 保護メガネは無色のガラス製でも可能．

Er：YAG レーザ

- 歯科治療で，う蝕除去や色素沈着除去に用いる．

Nd：YAG レーザ 【33回】【34回】 ――――――――――――――――― ★★

- 波長（1,064 nm）は近赤外領域である．
- 固体レーザ
- 内視鏡的がん治療や凝固止血に用いられる．
- 生体軟組織の侵達長は 1〜5 mm で，凝固に適している．
- サファイアチップを用いることで切開が可能になる．
- 出力光は石英ファイバで伝送できる．
- YAG 結晶中の Nd イオンが発光して発振する．
- レーザ（基本波）は He-Ne レーザより組織侵達度が大きい．

❷レーザ媒質の励起は光で行う.

Ho：YAG レーザ 【35 回】 ————————————————— ★★
❷固体レーザ
❷関節鏡視下手術,硬組織切開,副鼻腔手術,尿路結石破砕,前立腺肥大症などに適応.

半導体レーザ（Ga-Al-As レーザ）【35 回】 ————————— ★★
❷波長 630〜680 nm.
❷導光には開口数の大きい光ファイバを使用する（通常の 2 倍程度）.
❷除痛,疼痛治療,血行改善,創傷治癒,光線力学的療法（PDT）などに用いられる.
❷非接触照射による凝固作用が中心となる.

ArF エキシマレーザ 【33 回】【34 回】【35 回】【36 回】 ——— ★★★
❷波長 193 nm の紫外光.
❷近視手術（角膜切除）に用いられる.
❷レーザ媒質には腐食性ガスが含まれる.
❷角膜で吸収される.

Ar レーザ 【33 回】【36 回】 ———————————————————— ★★
❷波長 488 nm,514 nm の緑色光.
❷気体レーザ
❷網膜で吸収される.
❷網膜光凝固術に用いられる.

Dye（色素）レーザ 【33 回】【34 回】 ————————————— ★★
❷波長 585〜630 nm.
❷正常細胞の障害を最小限に抑え,がん細胞を死滅させる.
❷アルコールに溶解した色素を媒質とする.
❷光線力学的治療（PDT）やあざ治療に用いられる.

ルビーレーザ 【36 回】 ————————————————————————— ★★
❷あざ治療に用いられる.
❷メラニンによく吸収される.

アレキサンドライトレーザ
❷脱毛に用いられる.

○網膜光凝固装置
❷可視光を用いて病変部を熱凝固させる.
・Ar イオンレーザ：488 nm,514 nm →赤色物質（ヘモグロビン）への吸収が大きい.
・Kr（クリプトン）イオンレーザ：647 nm
❷1 回の照射時間は 0.2〜1.0 秒である.

❷レーザの出力は 0.1〜1 W（100〜1,000 mW）程度.

❷眼底鏡と組み合わせて使用する.

❷網膜細動脈の治療に適用できる.

❷網膜剥離に対して，網膜をスポット熱凝固することで剥離を食い止めることができる.

❷スリットランプ顕微鏡と組み合わせて使用する.

❷糖尿病性網膜症に適応可能である.

各種レーザの特徴のまとめ 【33回】【34回】【35回】 ──────────── ★★★

分類	名称	波長(nm)	励起源・励起方法	レーザ媒質	色	波長領域	石英ガラスファイバでの伝送の可否	伝送路	主な適用
固体	Nd：YAG	1,064	光源ランプ励固体起		無色	近赤外光	○		凝固止血，小切開（接触照射），内視鏡的がん治療，前立腺肥大治療，歯科治療
	Ho：YAG	2,100	光源ランプ励固体起	固体結晶レーザロッド	無色	中赤外光	○		硬組織切開，関節鏡下手術，副鼻腔手術，尿路結石破砕
	Er：YAG	2,940			無色	中赤外光	×	フッ化物ガラスファイバフレキシブル中空導波路	歯科治療
	Nd：YAG高調波	532	光源ランプ励固体起	固体結晶レーザロッド	緑色	可視光	○		光凝固治療（網膜，前眼部，白内障など）
		561			黄色				
		695			赤色				
	ルビー	694.3	光源ランプ励固体起	固体結晶レーザロッド	赤色	可視光	○		黒あざ治療
色素（液体）	Dye	504	レーザ励起	色素	緑色	可視光	○		尿路結石破砕術
	Dye(XeCl励起)		レーザ励起	色素		主に可視光	○		光線力学的療法（PDT）がん治療
気体	ArFエキシマ	193	放電励起	気体	無色	紫外線	×	多関節マニピュレータ	角膜切除術角膜形成術
	XeClエキシマ	308			無色	紫外線	△	UV用石英ガラスファイバ	冠動脈形成術ペースメーカリード除去
	Ar	514.5	放電励起	気体	緑色	可視光		眼底鏡	網膜光凝固術
	He-Ne	632.7			赤色	可視光			除痛ガイド光
	CO$_2$	10,600	放電励起	気体	無色	遠赤外光	×	多関節マニピュレータフレキシブル中空導波路ハロゲン化銀ファイバ	切開※レーザメス，腫瘍蒸発，皮膚疾患，鼓膜切除，歯科治療
半導体	Ga-Al-As	810〜830	電流励起	半導体		赤外光	○	高NA石英ガラスファイバ	高出力：凝固止血内視鏡的がん治療前立腺肥大治療
									低出力：疼痛治療

○取り扱いと安全管理 【37回】 ──────────────────── ★★

レーザ手術装置使用の注意事項

- ❯患者，術者，補助者は保護めがね着用．
- ❯照射は 1 人で行う．
- ❯照射方向は下向き．
- ❯照射部位以外は濡れガーゼで保護する．眼からはなるべく離す．
- ❯術野がよくみえるよう明るい場所で行う．
- ❯鋼製器具は反射しない黒色かプラスチックを用いる．

（2）光線治療

○赤外線治療器

- ❯0.78～100 μm の赤外線を用いる．
- ❯温熱効果を利用する．
- ❯外傷（捻挫，骨折）の疼痛緩和や末梢循環の改善に用いる．

○紫外線治療機器

- ❯200～280 nm（UV-C 領域）の殺菌波長を用いる．
- ❯紫外線が免疫反応や細胞の増殖を抑えることによって，皮膚病（乾癬，アトピー性皮膚炎など）を治療する．

○新生児黄疸光線治療器

- ❯新生児黄疸光線治療は，波長 400～530 nm の光でビリルビンを光分解し，体外に排出する．
- ❯新生児高ビリルビン血症の治療に用いる．
- ❯治療中の新生児は両眼を保護する．
- ❯早ければ治療開始後 2～3 日で，血中ビリルビンは正常値に戻る．

問題 1 □□□ 25A36

レーザ治療装置で誤っているのはどれか.

1. CO_2 レーザでは CO_2 を含む混合ガスに放電を加えて励起する.
2. Nd：YAG レーザは YAG 結晶中の Nd イオンが発光して発振する.
3. 半導体レーザの導光に開口数の小さな光ファイバを用いる.
4. 不可視レーザのガイドに He-Ne レーザを用いる.
5. ArF エキシマレーザのレーザ媒質には腐食性ガスが含まれる.

問題 2 □□□ 24A37

網膜光凝固装置で誤っているのはどれか.

1. 紫外線レーザ光が使用される.
2. 使用するレーザ出力は 100～1000 mW 程度である.
3. レーザ光を網膜上で結像し目的部位を熱凝固させる.
4. スリットランプ顕微鏡と組み合わせて使用する.
5. 糖尿病性網膜症に適用可能である.

問題 3 □□□ 25P36

網膜光凝固装置で正しいのはどれか.

a. 近赤外レーザ光を用いて病変部位を熱凝固させる.
b. 使用するレーザ出力は 10～100 W である.
c. 1 回の照射時間は 0.2～1.0 秒である.
d. 眼底鏡と組み合わせて使用する.
e. 網膜細動脈瘤の治療に適用できる.
1. a, b, c　2. a, b, e　3. a, d, e
4. b, c, d　5. c, d, e

問題 4 □□□ 26P36

レーザー手術装置で正しいのはどれか.

a. CO_2 レーザーには石英ファイバーが使用される.
b. 半導体レーザーは疼痛治療に用いられる.
c. 歯科治療用に Er：YAG レーザーが用いられる.
d. Nd：YAG レーザーの波長は近赤外領域である.
e. 組織表面の凝固にはレンズの焦点を絞る.
1. a, b, c　2. a, b, e　3. a, d, e
4. b, c, d　5. c, d, e

問題 5 □□□ 30A35

正しい組合せはどれか.

a. Ho：YAG レーザ――――液体レーザ
b. Ar レーザ――――――気体レーザ
c. Ga-Al-As レーザ――――半導体レーザ
d. Nd：YAG レーザ――――気体レーザ
e. ArF エキシマレーザ――固体レーザ
1. a, b　2. a, e　3. b, c　4. c, d　5. d, e

問題 6 □□□ 35P37

誤っている組合せはどれか.

a. 光線力学的治療――半導体レーザ
b. 角膜形成術――――ArF エキシマレーザ
c. 網膜光凝固―――― CO_2 レーザ
d. 内視鏡的癌治療――Ar レーザ
e. 尿路結石破砕―――Ho：YAG レーザ
1. a, b　2. a, e　3. b, c　4. c, d　5. d, e

正しい組合せはどれか.

a. 内視鏡的癌治療――――――ArF エキシマレーザ
b. 角膜形成術――――――――Nd：YAG レーザ
c. 網膜光凝固―――――――――Ar レーザ
d. 光線力学的治療――――――Dye レーザ
e. 尿路結石破砕――――――――CO_2 レーザ
1. a, b　2. a, e　3. b, c　4. c, d　5. d, e

レーザ手術における有害事象の原因でないのはどれか.

a. 保護メガネ着用
b. 出射方向の確認不良
c. 被覆なしの金属鉗子使用
d. レーザ照射部の複数スタッフによる操作
e. 発生ガスの除去
1. a, b　2. a, e　3. b, c　4. c, d　5. d, e

正しい組合せはどれか.

a. ArF エキシマレーザ――――冠動脈形成術
b. Ar レーザ―――――――――あざ治療
c. Ruby レーザ―――――――網膜凝固
d. Nd：YAG レーザ――――――がん治療
e. CO_2 レーザ――――――――切　開
1. a, b　2. a, e　3. b, c　4. c, d　5. d, e

〈解答〉問題 1-3，問題 2-1，問題 3-5，問題 4-4，問題 5-3，問題 6-4，問題 7-4，問題 8-5，問題 9-2

5. 超音波治療機器

（1）超音波吸引手術器

○原理，構造 【35回】 ★★

概要

- ❯作用原理：機械的振動による組織破砕．
- ❯先端の振動周波数：20〜35 kHz
- ❯先端チップ振動振幅：100〜350 μm
- ❯血管への作用：太い血管は温存され，脆弱な実質性組織を破砕する．
- ❯超音波振動により組織の破砕を行うため，対極板は必要ない．
- ❯生理食塩液で洗浄しながら使用する．
- ❯生理食塩液とともに細分化された組織片を吸引する．

構成要素

- ❯超音波振動子制御装置
- ❯洗浄液注入部
- ❯吸引ポンプ
- ❯洗浄水を送るポンプ
- ❯ハンドピース
  - ・振動子，ホーン，洗浄水口，冷却水口
- ❯フットスイッチ

超音波振動子

電歪型振動子	磁歪型振動子
・強誘電体である圧電セラミックス（PZT） ・チタン酸ジルコン酸塩を使用したランジュバン振動子． ・交流電圧により長さが伸び縮みする． ・ピエゾ効果． ・発熱は少ない．	・強磁性体であるニッケル，鉄，磁性フェライト（セラミックス），その合金を使用． ・交流磁場により長さが伸び縮みする． ・金属製は渦電流による発熱が大きく，冷却が必要． ・先端部の冷却には蒸留水を用いる．

○適応 【35回】 ★★

- ❯白内障手術
- ❯肝臓の手術
- ❯脳外科手術

（2）超音波凝固切開装置

○原理，構造 【34回】【37回】 ★★

超音波凝固切開装置と電気メスの相違点

	超音波凝固切開装置	電気メス
作用原理	振動摩擦による熱作用（摩擦熱）	高周波による熱作用（ジュール熱）
周波数	45～55 kHz	500 kHz（300 kHz～5 MHz）
作用温度	70～100℃	300℃
対極板	不要	必要
周辺組織への影響	熱的な損傷は少なく，創の治療も早い神経に近接する処置にも安全	熱的な損傷あり
術野	血液や洗浄液が多いとミストが発生	煙の発生
操作時間	電気メスに比べ切開，凝固操作に時間がかかる	

- ❯ 長軸方向に 50～100 μm の幅で往復運動を繰り返す．
- ❯ 凝固しながら切開ができる．
- ❯ 内視鏡下手術に用いられる．
- ❯ 凝固温度はレーザメス（約 100℃前後），電気メス（約 300℃）よりも低温である．
- ❯ 摩擦熱により 60～70℃前後でタンパク質の熱変性を起こし，80℃程度で凝固が完了する．

プローブ

〈シザーズ型〉

- ❯ 高速で振動するアクティブブレード部分とパッドで構成．
- ❯ 組織をこの部分で挟み込み組織の切開と凝固を行う．

〈フック型〉

- ❯ アクティブブレードのみの構造であり，ブレードを組織に接触させたり，圧迫したり，引っかけたりすることで切開と凝固を行う．

○適応 ★

- ❯ 比較的太い動脈の凝固・切開が可能である．
- ❯ 血管・神経などの組織の剝離に適する．

問題 1 ☐☐☐ 25A37

超音波吸引手術器の構成要素でないのはどれか.

1. 超音波振動子制御装置
2. 洗浄液注入部
3. 吸引ポンプ
4. ハンドピース
5. 切除用スネア

問題 2 ☐☐☐ 31P35

超音波吸引手術器で正しいのはどれか.

a. 振動子は 5 MHz で振動する.
b. 対極板が必要である.
c. 電気メスより止血機能に優れる.
d. 生理食塩液で洗浄しながら使用する.
e. 白内障手術に用いる.
1. a, b　2. a, e　3. b, c　4. c, d　5. d, e

問題 3 ☐☐☐ 27P36

超音波吸引手術装置で誤っているのはどれか.

1. 20〜38 kHz の超音波機械振動を利用する.
2. ハンドピース先端の振幅は 100〜350 μm である.
3. 生理食塩液とともに細分化された組織片を吸引する.
4. 磁歪型振動子は冷却のために蒸留水を用いる.
5. 実質性組織を鋭利に切除できる.

問題 4 ☐☐☐ 31A39

超音波凝固切開装置で誤っているのはどれか.

1. アクティブブレードは 45〜55 kHz の周波数で振動する.
2. 70〜100℃で組織中のタンパク質を凝固させる.
3. 細い血管からの出血を止めることができる.
4. 電気メスに比べて短時間で凝固切開が可能である.
5. 内視鏡外科手術に用いられる.

問題 5 ☐☐☐ 26P37

超音波凝固切開装置について誤っているのはどれか.

a. 摩擦熱を利用する.
b. 切開部の組織温度は 300℃程度になる.
c. 動脈よりも静脈の止血に適する.
d. 切開と凝固が同時にできる.
e. 電気メスと比べて凝固に時間がかかる.
1. a, b　2. a, e　3. b, c　4. c, d　5. d, e

問題 6 ☐☐☐ 35A37

超音波吸引手術装置について正しいのはどれか.

1. 先端は 5〜10 mm の振幅で振動する.
2. 25 kHz 前後の振動を用いる.
3. 対極板が必要である.
4. 生理食塩液は不要である.
5. 骨切開に有用である.

問題 7 ☐☐☐ 37A36

超音波凝固切開装置について正しいのはどれか.

a. 50 MHz 前後の振動を用いる.
b. 先端は 10〜20 mm の距離で振動する.
c. 生理食塩液を使用する.
d. 凝固温度はレーザメスよりも低温である.
e. 対極板は不要である.
1. a, b　2. a, e　3. b, c　4. c, d　5. d, e

〈解答〉問題 1-5, 問題 2-5, 問題 3-5, 問題 4-4, 問題 5-3, 問題 6-2, 問題 7-5

6. 内視鏡機器

医用治療機器学 第2版
p.187〜196
最新 医用治療機器学
p.183〜191

（1）内視鏡

○ **原理，構造，種類** ─────────── ★

  ❯ 内視鏡の種類
   ・硬性鏡
   ・軟性鏡（ファイバスコープ，電子内視鏡）
   ・カプセル内視鏡
  ❯ カプセル内視鏡は小腸病変の診断に有用である．
  ❯ 直腸鏡は硬性鏡である．
  ❯ 電子内視鏡の先端には CCD を内臓している．
  ❯ 内視鏡の光源には，キセノンランプやハロゲンランプが用いられる．
  ❯ 光ファイバの屈折率はクラッドよりもコアの方が高い．
  ❯ ファイバスコープ内部はファイバとチャネルからなる．

  ※内視鏡による画像計測は，「III-5．内視鏡画像計測」を参照．

（2）内視鏡外科手術機器

医用治療機器学 第2版
p.196〜202
最新 医用治療機器学
p.192〜196

○ **治療の概要と使用機器** 【33回】【34回】【35回】【36回】【37回】 ── ★★★

  ❯ 先端に小型 CCD カメラを取り付けた電子内視鏡（電子スコープ）を使用する．
  ❯ 全身麻酔で施行する．
  ❯ トロッカ（トロカール）を介して器具を挿入する．
  ❯ トロッカ（トロカール）を通過可能な電気メス，レーザメス，超音波吸引手術装置，超音波凝固切開装置，各種の自動縫合器なども広く使用されている．
  ❯ 内視鏡外科の専用機器では腹腔内圧の維持機構が備えられ，装置自体が腹腔内圧を検知しながら行う．
  ❯ 気腹装置は腹腔鏡下手術に用いられる．
  ❯ 気腹により横隔膜は挙上する．
  ❯ 気腹による血圧低下が起こる．
  ❯ 気腹法により胸腔内圧が上昇し，静脈還流は減少する．
  ❯ 作業空間の拡張のため，気腹器を用い二酸化炭素を 8〜12 mmHg の圧力で注入する．
  ❯ 腹腔鏡手術には硬性鏡を用いる．
  ❯ Nd：YAG レーザの光ファイバは鉗子孔から挿入する．
  ❯ スネアによるポリープ切除の原理は電気メスと同じである．
  ❯ 止血用クリップを用意する．
  ❯ 胸腔鏡下手術は片側肺換気下に行われることが多い．

○ **内視鏡治療法の適応**

  ❯ 胃粘膜切除術：上部消化管内視鏡
  ❯ 半月板切除術：関節鏡
  ❯ 胆嚢摘出術：腹腔鏡

❥部分的肺切除術：胸腔鏡

❥自然気胸：胸腔鏡

❥前立腺肥大症

❥結石症　など

○ **合併症【34回】【35回】【37回】** ──────────────── ★★★

❥肺血栓塞栓症や炭酸ガスによる塞栓がまれに生じることがある.

❥開腹手術と比べて深部静脈血栓症（肺血栓塞栓症）のリスクが高い.

❥深部静脈血栓症の予防として，下肢のマッサージ器を使用する.

臨床工学技士国家試験問題　Check UP!

問題1　□□□　30P32

内視鏡について正しいのはどれか.

　a．血管内視鏡にはファイバースコープが使用される.
　b．電子スコープの受光素子には CdSe が使用される.
　c．高速撮影のためにフォトトランジスタが使用される.
　d．深部血管の撮影には赤色狭帯域光が使用される.
　e．キセノンランプが光源に使用される.
　1．a, b　2．a, e　3．b, c　4．c, d　5．d, e

問題3　□□□　30P38

内視鏡的外科手術において正しいのはどれか.

　1．気腹に亜酸化窒素を用いる.
　2．気腹により静脈灌流は増加する.
　3．肺血栓塞栓症の合併症はない.
　4．電気メスは使用できない.
　5．自然気胸は適応である.

問題2　□□□　26A37

内視鏡機器および関連機器について正しいのはどれか.

　a．カプセル内視鏡は小腸病変の診断に有用である.
　b．光ファイバーの屈折率はコアよりもグラッドの方が
　　　高い.
　c．直腸鏡は軟性鏡である.
　d．ファイバースコープ内部はファイバーとチャネルか
　　　らなる.
　e．気腹装置は腹腔鏡下手術に用いられる.
　1．a, b, c　2．a, b, e　3．a, d, e
　4．b, c, d　5．c, d, e

問題4　□□□　34P37

腹部内視鏡外科手術において正しいのはどれか.

　a．気腹に二酸化炭素を用いる.
　b．気腹により静脈還流は増加する.
　c．硬性鏡は使用できない.
　d．トロッカを介して器具を挿入する.
　e．肺血栓塞栓症のリスクがある.
　1．a, b, c　2．a, b, e　3．a, d, e
　4．b, c, d　5．c, d, e

内視鏡外科手術について正しいのはどれか.

　a. 気腹には亜酸化窒素を使用する.
　b. 気腹により下半身からの静脈還流量は増加する.
　c. 気腹により横隔膜は挙上する.
　d. トロッカは体腔へのアクセスに用いる.
　e. 超音波吸引手術装置の使用は禁忌である.

1. a, b　2. a, e　3. b, c　4. c, d　5. d, e

内視鏡外科手術について正しいのはどれか.

　a. 気腹には酸素を用いる.
　b. 標準的気腹圧は 10 mmHg 前後である.
　c. 気腹によって胸腔内圧が上昇する.
　d. 気腹は肺血栓塞栓症の要因となる.
　e. 気腹圧上昇により静脈還流量は増加する.

1. a, b, c　2. a, b, e　3. a, d, e
4. b, c, d　5. c, d, e

〈解答〉問題 1-2, 問題 2-3, 問題 3-5, 問題 4-3, 問題 5-4, 問題 6-4

7. 手術支援ロボット

医用治療機器学 第2版
p.200〜201
最新 医用治療機器学
p.196〜198

（1）手術支援ロボット

○ **原理，構造**
- ❯ ペイシェントカート：3〜4本のロボットアームと1台の内視鏡カメラを備える．
- ❯ サージョンコントロール：執刀医が操作を行う．
- ❯ ビジョンカート：執刀医以外の手術スタッフが映像を確認する．

○ **治療の概要と使用機器**
- ❯ 手術支援ロボットは，腹腔鏡手術を支援する内視鏡下手術支援ロボットである．
- ❯ 手術支援ロボットによる手術は医師の操作によって実施される．
- ❯ 執刀医がコンソールを操作して，患者の腹部に挿入されたマニピュレータ（ロボットの腕や手に相当）をロボットで操作する．
- ❯ 2眼カメラにより，高画質3次元画像が得られる．
- ❯ 10倍程度の拡大が可能である．
- ❯ 専用インストルメントは，人の手よりも大きな可動域をもつため，複雑かつ繊細な動きを要する手術が可能である．
- ❯ ロボットアーム先端には，40種類以上の様々な形状の鉗子を付け替えることができる．
- ❯ ビジョンカートにより術者以外も画像を共有できる．
- ❯ マスタ・スレーブユニットによって手ぶれを除去できる．

8. 熱治療機器

(1) 冷凍手術装置

医用治療機器学 第2版
p.204〜209
最新 医用治療機器学
p.200〜205

○ 原理，構造，種類

冷凍手術装置の作用機序

- ❥ 炎症反応：網膜剥離手術など．光凝固と同じ効果を目的として使用．
- ❥ 固化作用：出血しやすい腫瘍や転移を生じやすい腫瘍を凍結することによって固形化して摘出する．
- ❥ 接着効果：白内障手術など．水晶体とプローブに接着させ，ピンセットとして使用．
- ❥ 壊死効果：腫瘍，病巣の破壊．使用頻度として最も高い．

冷凍手術装置の種類

種類	冷却剤	最低温度	冷却原理	破壊力	適応	備考
低温常圧型	液体窒素 ※自然蒸発は1日に7%程度である	−198℃	気化熱（潜熱）	大きい	大きな病変	・装置の断熱構造が必要 ・複雑，高価 ・プローブ先端にヒータ内蔵 ・冷却剤は液体窒素（自然発火あり） ・外科，婦人科，皮膚科領域における病変組織の凍結破壊に適する
常温高圧型	炭酸ガス	−70℃	ジュール・トムソン効果 ※ガスが断熱膨張する際に温度が下がる	小さい	小さな病変	・構造が簡単 ・不整脈治療，眼科領域の手術に使用 ・プローブによって冷却部位を限定することが可能である
	笑気	−89℃				
	フレオン22（フロン）	−40℃				

(2) ハイパーサーミア装置（癌温熱療法装置）

医用治療機器学 第2版
p.209〜218
最新 医用治療機器学
p.205〜210

○ 原理，構造 【33回】【34回】【36回】【37回】 ★★★

- ❥ ハイパーサーミアはがんの温熱療法．
- ❥ 正常組織は血流が増えるが，腫瘍組織では低下する．
- ❥ 血流による熱拡散が低下し，うつ熱が生じ，主要部分の温度はさらに上昇し，腫瘍組織は死滅する．
- ❥ 組織を加温すると，熱ショックタンパク質（heat shock protein；HSP）が出現し，温熱抵抗性が獲得され，温熱に耐性をもつようになる．
- ❥ 耐熱性は48時間くらいで最大となり，72時間後にはほぼ消失する．
- ❥ 熱耐性をもつ期間に再治療は行わず，熱耐性が軽減する3日間程度あけて治療を行う．
- ❥ 侵襲的に腫瘍組織内に直接針状アンテナ，針電極や磁性体などを刺入または植込みエネルギーを直接印加する．
- ❥ 腫瘍の局所を42〜43℃に1時間程度加温する．
- ❥ 周囲の正常組織は42℃以下に保つ．
- ❥ 表面冷却にはボーラス（水袋）を用いる．

- ❯温熱療法室は電磁干渉対策にシールドルームが望ましい.
- ❯温熱療法は一般的には放射線または化学療法との併用療法として使用されることが多い.
- ❯抗癌剤の作用増強効果がある.

○種類

RF 容量結合型加温法 【36回】【37回】 ────────────── ★★

- ❯生体組織の電気的損失（ジュール熱）により発熱させる.
- ❯数 MHz〜数十 MHz のラジオ波（RF）を用いる.
- ❯生体を 2 つの電極（アプリケータ）で挟み，RF 電流を流す.
- ❯電極サイズが小さいほど電極近傍の加温は強くなる.
- ❯電極の大きさは，電極直径が電極間距離の 1.5 倍以上であることが望ましい.
- ❯波長が長く，生体深部にも到達する.
- ❯深在性腫瘍に適応.
- ❯電極直下の脂肪層の過熱を防ぐため，ボーラス（水袋）により皮膚面を冷却する.
- ❯電気抵抗の低い筋肉層や臓器と比べて，電気抵抗の高い脂肪は加温されやすい.
- ❯金属ベッドは使用しない.
- ❯生体内に金属材料（骨折プレート，ペースメーカなど）が植え込まれている場合は，RF 波がその部分に集中し，マイクロ波による発熱がある.

マイクロ波加温法 【33回】【34回】【36回】【37回】 ────────── ★★★

- ❯誘電損失により発熱させる.
- ❯単一のアプリケータから 430 MHz，915 MHz，2,450 MHz のマイクロ波を接触，または非接触に生体に照射する.
- ❯周波数の増加に対して加温できる深さが減少する.
- ❯マイクロ波が使用され，誘電熱を利用して発熱させる.
- ❯波長が短い（減衰が大きい）ため，皮膚表面から 6 cm 以内の浅在性腫瘍に適応.
- ❯波長が短く，収束性がよい.
- ❯局所加温に適する.
- ❯電極のエッジ効果軽減のため，ボーラス（水袋）をアプリケータ（電極）と生体との間に置き，さらに表面冷却効果を増大させる方法がとられる.

超音波加温法 【36回】 ──────────────────── ★★

- ❯複数箇所の振動子により，超音波をがんに集束させて加温する方法.
- ❯生体内での波長が短いので，骨や空気などの障害物があると，深部まで到達せず阻止されてしまう.
- ❯前立腺肥大や肝臓癌などに使用される.

全身加温法 【36回】 ──────────────────── ★★

- ❯血液を体外循環させて全身を加温する.
- ❯熱交換器によって加温し，再び血液を体内に戻す.

問題 1 □□□ 24A38

冷凍手術器の作用機序で誤っているのはどれか.

1. 攣縮反応
2. 炎症反応
3. 固化作用
4. 接着効果
5. 壊死効果

問題 4 □□□ 34A38

ハイパーサーミアについて正しいのはどれか.

a. 腫瘍組織の血流量は温度に比例して増加する.
b. マイクロ波加温は深部加温に適する.
c. 超音波加温はガスの多い臓器に適する.
d. 誘電型加温は脂肪層の発熱が大きい.
e. 誘電型装置の電極パッドには冷却水を灌流する.

1. a, b 2. a, e 3. b, c 4. c, d 5. d, e

問題 2 □□□ 30A37

ハイパーサーミアについて正しいのはどれか.

a. 容量結合型加温には数 kHz〜数十 kHz の周波数を使用する.
b. 超音波加温は空気層を通して組織を加温する.
c. 皮膚表面の冷却にボーラス（水バッグ）を用いる.
d. マイクロ波加温では周波数の増加に対して加温できる深さが減少する.
e. 組織内加温では針電極を刺入する.

1. a, b, c 2. a, b, e 3. a, d, e
4. b, c, d 5. c, d, e

問題 5 □□□ 36A38

ハイパーサーミアについて正しいのはどれか.

a. RF 誘電型加温法は深部病変の治療に適している.
b. 超音波加温法は肺深部の加温に適している.
c. マイクロ波加温法は脂肪層の発熱が大きい.
d. 熱耐性予防のため 24 時間毎に治療する.
e. 体外循環は全身加温法で用いる.

1. a, b 2. a, e 3. b, c 4. c, d 5. d, e

問題 3 □□□ 28P36

がん温熱療法について正しいのはどれか.

a. RF 容量結合型加温では金属ベッドを使用する.
b. マイクロ波加温法は全身加温に適する.
c. 化学療法と併用される.
d. 加温後細胞は熱耐性を示す.
e. 表面冷却にはボーラスを用いる.

1. a, b, c 2. a, b, e 3. a, d, e
4. b, c, d 5. c, d, e

問題 6 □□□ 37A38

ハイパーサーミアについて正しいのはどれか.

a. 病巣を 42℃以上に加熱する.
b. 連日の加温治療により熱耐性が生じる.
c. 抗癌剤の作用増強効果がある.
d. RF 加温法では 300 MHz〜30 GHz の電波を使用する.
e. マイクロ波加温法は深部病巣への到達性が高い.

1. a, b, c 2. a, b, e 3. a, d, e
4. b, c, d 5. c, d, e

〈解答〉問題 1-1，問題 2-5，問題 3-5，問題 4-5，問題 5-2，問題 6-1

II. 生体計測装置学

生体計測装置学
　　p.14〜15
最新 生体計測装置学
　　p.15〜16

（1）計測誤差

○計測誤差の種類 ────────────────────── ★

- ❷誤差＝系統誤差＋偶然誤差＋過失誤差
- ❷測定値を2乗した場合，加算しても誤差は2倍のまま．
- ❷2つの正規分布する測定値の和は正規分布する．

系統誤差

- ❷何回測定しても繰り返して一定の傾向で現れる誤差．
- ❷理論的誤差，測定器誤差，個人誤差が原因となる．
- ❷校正によって除去できる．
- ❷規則性があり，測定値に偏りを与える．

偶然誤差

- ❷測定ごとに異なった値をとって現れる誤差．
- ❷系統誤差や過失誤差を除いてもなお測定値に残る．
- ❷統計処理によって小さくできる．
- ❷確率的に発生する．
- ❷正規分布（ガウス分布）に従う．
- ❷n回の測定値を平均すると偶然誤差は $1/\sqrt{n}$ となる．
- ❷標準偏差に従う．
- ❷独立した2つの正規分布の和において分散，それぞれの分散の和となる．

過失誤差

- ❷計測器の目盛りの読み間違えなどによって起こる誤差．
- ❷一定の傾向で現れる誤差でなく，測定者により偏りやばらつきが生じる．

○その他の誤差

量子化誤差

- ❷2進数にする際に生じる．
- ❷連続なアナログ信号を不連続なディジタル信号に変換するときに，切り捨て切り上げによる情報損失によって生じる誤差．
- ❷A/D変換時に生じる．
- ❷A/D変換器のビット数（量子化分解能）を上げると量子化誤差は小さくなり，データ量が増加する．
- ❷有限語長でデータを表現する．

標本化誤差

- ❷連続時間的なアナログ量を離散時間的なディジタル量に変換するときに生じる誤差．
- ❷標本化の周波数により生じる．
- ❷A/D変換時に生じる．

動誤差

- ❯動いている量を測定するときに発生する誤差.
- ❯校正では取り除けない.

(2) 計測値の処理

生体計測装置学
p.15〜23
最新 生体計測装置学
p.16〜23

○ 精度と確度 【35回】 ──────────────────── ★★

正規分布

| σ：標準偏差(ばらつき) |
| T：真の値 |
| M：測定の平均値 |
| b：かたより |

正規分布曲線の幅が広い
・σ：標準偏差(ばらつき)が大きい
・精密さ(精密度)が低い

正規分布曲線の幅が狭い
・σ：標準偏差(ばらつき)が小さい
・精密さ(精密度)が良い

- ❯MとTの差b(かたより)が小さい：正確さ(正確度)が良い.
- ❯精度とは,正確さと精密さを含めた測定量の真の値との一致の度合いをいう.
- ❯確度とは,測定器の正確さの度合いを示す.
- ❯確度の誤差限界とは,最大で起こりうる誤差(誤差限界)を表す.

○ 絶対誤差・相対誤差・誤差率 【32回】【36回】 ──────── ★★

- ❯絶対誤差$(\varepsilon)=$測定値$(M)-$真の値(T)

- ❯相対誤差$=\dfrac{M-T}{T}=\dfrac{\varepsilon}{T}$

- ❯誤差率$(\%)=\dfrac{M-T}{T}\times 100$

測定誤差の伝搬

- ❯いくつかの測定値を組み合わせて計算すると,それぞれの測定値の誤差の影響が現れる.
- ❯測定値を加算・減算する場合
  ・誤差の最大値$E=E_1+E_2$
- ❯測定値を積(乗)算する場合
  ・誤差の最大値$E=E_1\cdot T_2+E_2\cdot T_1$
  ・相対誤差はそれぞれの相対誤差を加算した値となる.

$$\frac{E}{T_1\cdot T_2}=\frac{E_1}{T_1}+\frac{E_2}{T_2}$$

❷測定値を商（除）算する場合

・誤差の最大値 $E = \dfrac{T_1}{T_2} \times \left(\dfrac{E_1}{T_1} + \dfrac{E_2}{T_2} \right)$

・相対誤差はそれぞれの相対誤差を加算した値となる.

$$\frac{E}{T_1/T_2} = \frac{E_1}{T_1} + \frac{E_2}{T_2}$$

例題

　正確さが 0.45％，定格が 100 V のアナログ式電圧計で 25 V の電圧を測定するときの最大誤差［％］はいくつか. ただし，指示の読み取りに誤差はないものとする.

解答

　定格が 100 V で正確さが 0.45％の電圧計では 0.45 V の最大誤差がある.

　25 V の電圧を測定する場合にも最大 0.45 V の最大誤差がある.

　この 0.45 V の誤差が測定値の 25 V の何％に相当するかを計算すると，

　　$0.45 \div 25 \times 100 = 1.8\%$　　となる.

例題

　相対誤差 2％の電流計と相対誤差 3％の電圧計を用いて電力を測定する場合，電力の相対誤差は何％となるか.

解答

　電力＝電流×電圧のため誤差を持った計測値同士を乗算した結果の誤差の最大値（E）は

　　$E = E_1 \cdot T_2 + E_2 \cdot T_1$

　［E：誤差の最大値（絶対誤差），T_1，T_2：真の値，E_1，E_2：誤差］

　また，相対誤差は

$$\frac{E}{T_1 \cdot T_2} = \frac{E_1}{T_1} + \frac{E_2}{T_2}$$

　それぞれの相対誤差を加算した値となるので，電力の相対誤差は 2％＋3％＝5％.

（3）信号と雑音

○雑音の種類

雑音の種類 【37回】 ★★

量子化雑音	AD変換に伴って発生する雑音.
熱雑音	電子など荷電粒子の**不規則振動**に起因する. 抵抗などの素子の温度が上昇し，電子などの荷電粒子が不規則な熱運動を起こすことで発生する.
白色雑音	電力は計測の**周波数帯域に比例**する. 電力スペクトルはすべての周波数で一定となる.
ショット雑音	トランジスタなどの増幅素子自体から**不規則**に発生する.
ハム雑音	外部雑音として電源トランスなどから漏れる交流成分による雑音で，直接回路に混入する. 一般に商用交流雑音がハム雑音と呼ばれる.
クリック雑音	接点や回路の接触不良によって生じる雑音である.
フリッカ雑音	抵抗体やトランジスタなどから発生する. 1/f雑音は低周波数帯で大きく増幅される. 低い周波数ほどパワーが大きくなる特性をもっている（周波数に反比例）.

❷増幅器の最小入力信号レベルは雑音によって規定される.

❷ダイナミックレンジを決定する最小信号レベルは雑音によって規定される.

❷周波数帯域幅は信号がもつ周波数成分だけあればよい.

❷周期信号はフーリエ級数で表すことができる.

○内部雑音の発生要因

❷抵抗器の温度上昇

❷電子部品の接触不良

❷電子部品間相互の電磁誘導　など

○信号対雑音比（S/N）

❷雑音がどれだけ含まれているかを表すものとして，信号（S）の大きさと雑音（N）の大きさの比を用いる．これを信号対雑音比（S/N）といい，デシベル［dB］を用いて表す.

❷S/Nは以下の式により計算できる.

$$S/N = 10 \log_{10}\left(\frac{信号電力}{雑音電力}\right) = 10 \log_{10}\left(\frac{信号電圧}{雑音電圧}\right)^2 = 20 \log_{10}\left(\frac{信号電圧}{雑音電圧}\right)$$

例題

1 mV の信号に 5 μV の雑音が重畳しているとき SN 比〔dB〕はいくつか.

ただし，$\log_{10} 2 = 0.3$ とする.

解答

$20 \log_{10}\left(\dfrac{\text{信号電圧}}{\text{雑音電圧}}\right)$ より，

$= 20 \log_{10}\left(\dfrac{1000}{5}\right) = 20 \log_{10} 200 = 20 \times (\log_{10} 2 + \log_{10} 100) = 20 \times (\log_{10} 2 + \log_{10} 10^2)$

$= 20 \times (0.3 + 2)$

$= 46 \, \text{dB}$

（4）単位

生体計測装置学
p.1〜8

最新 生体計測装置学
p.1〜7

○国際単位系（SI 単位），物理量と単位 【33 回】 ★★

国際単位系（SI）における 7 つの基本単位

❯国際単位系（SI 単位）では 7 つの基本単位が定められている．

長さ	メートル	m
質量	キログラム	kg
時間	秒	s
電流	アンペア	A
熱力学温度	ケルビン	K
物質量	モル	mol
光度	カンデラ	cd

物理量	記号	SI 組立単位	SI 基本単位
平面角	rad	1	$m \cdot m^{-1}$
立体角	sr	1	$m^2 \cdot m^{-2}$
応力，圧力	Pa	N/m^2	$m^{-1} \cdot kg \cdot s^{-2}$
粘度		Pa·s	
静電容量	F	C/V	$m^{-2} \cdot kg^{-1} \cdot s^4 \cdot A^2$
コンダクタンス	S	A/V	$m^{-2} \cdot kg^{-1} \cdot s^3 \cdot A^2$
インダクタンス	H	Wb/A	$m^2 \cdot kg \cdot s^{-2} \cdot A^{-2}$
吸収線量	Gy	J/kg	$m^2 \cdot s^{-2}$
放射照度		W/m^2	
放射能	Bq		s^{-1}
力	N	$kg \cdot m/s^2$	
力のモーメント		N·m	
エネルギー，熱量	J	N·m	
熱容量		J/K	
電力・仕事率	W	J/s	
電荷，電気量	C	A·s	
電界の強さ		N/C	
電圧	V	J/C	
電気抵抗	Ω	V/A	
周波数	Hz		s^{-1}
圧力	atm	101.3 kPa	$101300\ m^{-1} \cdot kg \cdot s^{-2}$
磁束	Wb	V·s	$kg \cdot m^2 \cdot s^{-2} \cdot A^{-1}$
磁束密度	T	Wb/m^2	$kg \cdot s^{-2} \cdot A^{-1}$
光束	lm	cd·sr	
照度	lx		

❱ パスカル（Pa）は組み立て単位である．

❱ 氷点は約 273 ケルビン（K）である．

❱ 1 ジーメンス（S）は，1 A/V である．

○ 接頭語

乗数	名称	記号	乗数	名称	記号
10^{24}	ヨタ	Y	10^{-1}	デシ	d
10^{21}	ゼタ	Z	10^{-2}	センチ	c
10^{18}	エクサ	E	10^{-3}	ミリ	m
10^{15}	ペタ	P	10^{-6}	マイクロ	μ
10^{12}	テラ	T	10^{-9}	ナノ	n
10^9	ギガ	G	10^{-12}	ピコ	p
10^6	メガ	M	10^{-15}	フェムト	f
10^3	キロ	k	10^{-18}	アト	a
10^2	ヘクト	h	10^{-21}	ゼプト	z
10^1	デカ	da	10^{-24}	ヨクト	y

問題 1　□□□　30A25

誤差について正しいのはどれか.

1. 計測器の目盛りの読み間違いによって偶然誤差が生じる.
2. 計測器の校正を怠ると系統誤差が生じる.
3. 量子力学的現象によって量子化誤差が生じる.
4. 過失誤差は観測者によらず一定である.
5. n 回の測定値を平均すると理論誤差は 1/n となる.

問題 2　□□□　28P25

誤差について誤っているのはどれか.

1. 偶然誤差は正規分布に従う.
2. 偶然誤差は統計処理によって小さくできる.
3. 系統誤差は校正によって除去できる.
4. 測定値を 2 乗すると誤差は 4 倍になる.
5. n 回の測定値を平均すると偶然誤差は $1/\sqrt{n}$ となる.

問題 3　□□□　35A25

図は, 同一検体の血糖値を A, B 2 種類の計測法で測定した結果の分布である. 使用した検体の真の血糖値を 80 mg/dL としたとき正しいのはどれか. ただし, 十分な回数の測定が行われたこととする.

1. A は B よりも正確度が高い.
2. A は B よりも精密度が高い.
3. A は B よりも分布の平均値が小さい.
4. A は B よりも偶然誤差が小さい.
5. A は B よりも系統誤差が大きい.

問題 4　□□□　31P25

雑音について誤っているのはどれか.

1. 熱雑音は電子の不規則な運動によって発生する.
2. ショット雑音は半導体内部に発生する.
3. ハム雑音は商用交流によって発生する.
4. クリック雑音は回路の接点で発生する.
5. フリッカ雑音は周波数に比例して大きくなる.

問題 5　□□□　34P25

単位について正しいのはどれか.

a. J（ジュール）は基本単位である.
b. dB（デシベル）は補助単位である.
c. V（ボルト）は組立単位である.
d. 1S（ジーメンス）は 1 A/V である.
e. Ω（オーム）は基本単位である.

1. a, b　2. a, e　3. b, c　4. c, d　5. d, e

問題 6　□□□　32A26

相対誤差 1%の電流計と相対誤差 2%の電圧計を用いて電力を測定する場合, 電力の相対誤差は何%となるか.

1. 1
2. 2
3. $\sqrt{5}$
4. 3
5. 5

問題 7　□□□　36A26

誤差率 2%の抵抗器の両端電圧を誤差率 4%の電圧計で測定した. 測定結果から算出した電流値に含まれる最大の誤差（誤差率 [%]）に最も近いのはどれか.

1. 2
2. 3
3. 4
4. 6
5. 8

物理量と単位との組合せで正しいのはどれか.

1. コンダクタンス―― C
2. 磁束密度――――― H
3. 熱容量―――――― K
4. 応　力―――――― Pa
5. 吸収線量――――― Sv

1 mV の信号に 50 μV の雑音が重畳しているとき SN 比 [dB] はどれか.
ただし, $\log_{10} 2 = 0.3$ とする.

1. 13
2. 23
3. 26
4. 40
5. 46

〈解答〉問題 1-2, 問題 2-4, 問題 3-1, 問題 4-5, 問題 5-4, 問題 6-4, 問題 7-4, 問題 8-4, 問題 9-3

2. 生 体 情 報 の 計 測

生体計測装置学
　p.311～315
最新 生体計測装置学
　p.192～197

（1）計測方法

○ **測定方法の種類**

分光光度計

- ❯ 分光（吸光）光度計は，単色光を作り出してこれを試料に照射し，透過した光の量を測定することにより，その物質の濃度を定量的に分析する．
- ❯ 試料の特定波長における吸光度を求める．
- ❯ 吸光度が，試料中の吸光物質の濃度に比例するところから，定量分析に用いられる．

原子吸光光度計

- ❯ 吸光光度計と原理的には同じ．
- ❯ 基底状態の蒸気層に光を照射すると，原子あるいは特定波長の光を吸収する．

屈折法

- ❯ 光に対する物質の屈折率を測定する器械．
- ❯ 屈折率のわかっている標準プリズムを物質に接触させ，境界面で起こる全反射を利用する．

蛍光光度計

- ❯ 分子に光を照射すると，光を吸収したのちそのエネルギーを光として放出すること（蛍光）がある．
- ❯ 蛍光のスペクトルと強度を測定することにより，試料の性質と濃度を調べる．

炎光光度計

- ❯ 試料中の金属元素をガス燃焼のフレームによる加熱で発光させ，その発光光度から物質を定性，定量する．
- ❯ 臨床的には血清や尿のナトリウム，カリウムの測定に応用される．

光電比色計

- ❯ グルコース，ヘモグロビンなどが計測できる．
- ❯ グルコースセンサ（酵素センサ）は固定化グルコースオキシダーゼ膜と，酸素電極あるいは過酸化水素電極からなる．

（2）計測器の性能

生体計測装置学
p.30
入力インピーダン
スを大きくする理
由
最新 生体計測装置学
p.28〜29

○ **生体電気信号の周波数特性** ────────────────── ★

	周波数域	振幅
脳波	0.5〜100 [Hz]	50〜100 [μV]
心電図	0.05〜100 [Hz]	0.5〜5 [mV]
筋電図	5〜10 [kHz]	10 [μV]〜15 [mV]
眼振図	0.05〜20 [Hz]	0.1〜0.5 [mV]
視覚誘発電位	0.5〜300 [Hz]	
観血式血圧	DC〜30 [Hz]	
脳磁図		10^{-13}〜10^{-12} [T]
心磁図		10^{-11}〜10^{-10} [T]
肺磁図		10^{-9}〜10^{-8} [T]
容積脈波	30 [Hz] 以下	
心音図	20〜1,000 [Hz]	

○ **入力インピーダンス** 【33回】 ──────────────── ★★
- ● 単位は Ω.
- ● 大きさは入力信号の周波数に依存する.
- ● 電極接触インピーダンスよりも十分大きくする.
- ● 心電図の入力インピーダンスを高くする理由は，信号源インピーダンスが高いからである.
- ● 入力電圧と入力電流の波形から位相特性がわかる.
- ● 電界効果トランジスタ（FET）はバイポーラ型に比べて入力インピーダンスが大きい.
- ● 差動増幅器の入力インピーダンスは大きい方が良い.
- ● 生体内部のインピーダンスは皮膚のインピーダンスより低い.
- ● 皮膚インピーダンスは一般には抵抗と静電容量の並列接続で表される.
- ● 皮膚が乾燥すると皮膚のインピーダンスは上昇する.
- ● 分極電圧とは異なる物質の界面に生じる電位差のことである.
- ● Ag-AgCl 電極は不分極電極である.

○ **電極** 【37回】 ────────────────────────── ★★
- ● 生体内イオン電流を電子電流へ変換する.
- ● 電極静止電位は小さい方がよい.
- ● 体表面電極の静止電位は体動によって変動する.
- ● 電極用のペーストは電極接触インピーダンスを下げる効果がある.
- ● 電極の接触インピーダンスは低周波数領域において，周波数と反比例の関係にある.
- ● 新しい金属電極はエージングされた金属電極と比べて基線の変動が大きい.
- ● 電極で発生する分極電圧は金属の種類によって異なる.
- ● 分極電圧は皮膚と電極との間に生じる直流電圧である.
- ● 電極と生体間の接触面積を大きくすると，電極インピーダンス抵抗成分（Re）を減少させる効果があるため，電極接触インピーダンスは減少する.
- ● 周波数が高くなると等価回路中の容量性インピーダンスが減少するため，電極接触イ

ンピーダンスは減少する.

❷銀-塩化銀電極は不分極電極である.

❷X線はカーボン電極を透過する.

（3）計測器の構成

○変換器（トランスデューサ）

トランスデューサが備えるべき条件 【34回】 ————————————————— ★★

〈周波数特性〉

❷測定対象のもつ信号の応答速度をカバーできること.

❷目的とする生体情報の周波数帯域と，トランスデューサを含めた測定系全体の周波数帯域が適していなければ，信号に歪みが生じる原因となる.

〈直線性〉

❷生体に結合したとき生体の状態を乱さないこと.

❷測定すべき範囲内で直線性が保たれていること.

❷入力側の生体信号と出力側の電気信号との間に比例関係（直線性）が成り立つ範囲がある.

❷この範囲を超えた生体信号が入力されると記録波形に歪みが生じ，誤差が大きくなる.

〈選択性〉

❷測定対象に対する選択性が良いこと.

❷目的とする入力信号のみを受け取り，他の信号の影響を受けないことが理想的なトランスデューサである.

❷トランスデューサの選択を誤り，目的以外の信号も読み取ってしまうと正確な計測結果が得られない.

物理量を起電力に変換するもの 【35回】【36回】 ————————————————— ★★

❷サーミスタ：温度を抵抗に変化させる．熱希釈式心拍出量計に利用.

❷熱電対：温度を起電力に変化させる.

❷サーモパイル：熱電対を直列（および並列）に組み合わせた熱型検出素子である．カプノメータに利用.

❷ホール素子：ホール効果を利用した磁界を検出する半導体素子である.

❷太陽電池：光照射により起電力を発生.

❷フォトダイオード：光照射により起電力を発生．パルスオキシメータに利用.

❷圧電素子：素子に加わる振動から誘電起電力や電圧を得る．超音波画像診断装置に利用.

❷差動トランス：機械的な運動を電圧・電流・電気信号に変換する.

❷Cds：光信号を抵抗値として変換する.

❷ストレインゲージ：ひずみ力を電気信号に変換する．観血式血圧計に利用.

○増幅器 【33回】 ————————————————————————————— ★★

生体電気信号増幅器に求められる条件

❷入力インピーダンスが大きい.

❷同相弁別比は，概ね60 dB以上必要.

❷入力オフセット電圧が小さい.

❯入力換算雑音が小さい.

❯温度ドリフトが小さい.

○記録器

サーマルアレイレコーダ

❯基本構造

- サーマルヘッド部：発熱抵抗体（サーマルエレメント）が横一列に配置されている（8〜16ドット）.
- プラテンローラー：感熱紙を送る.
- 発熱抵抗体（サーマルエレメント）は電気をエネルギー源として発生するジュール熱によりミリ秒オーダーで加熱する.
- 周波数応答は高く，数十kHzの周波数まで直接記録できる.
- 周波数特性はサーマルアレイ式が熱ペン式より優れている.

❯心電図などの電圧信号をアンプに入力する.

❯ADコンバータを通して信号をディジタルデータに変換する.

❯ディジタルデータはDMAを介してメモリに蓄えられ，CPUによりサーマルアレイレコーダに出力される.

❯記録は可動部分がないため，波形や文字・画像を記録することができるが，線ではなく点の連続であるため分解能が問題となる.

記録計の種類（リアルタイム記録）

種類	周波数特性	特徴	用途
自動平衡型記録計	DC〜1[Hz]	・記録幅が大. ・X-Yレコーダや打点式記録計などに利用. ・直流電圧，あるいは直流電圧に変換された物理量を測定・記録する記録計. ・高精度. ・長時間記録可能.	体温 pH 分圧など
インクペン式記録計	DC〜60[Hz]	・ランニングコストが安価. ・インク詰まりなどの保守が必要. ・入力信号エネルギーで直接ペンを動かし記録する記録計. ・記録の長期保存が容易.	脳波
熱ペン式記録計	DC〜60[Hz]	・取り扱いが容易（印字も可）. ・インクペン式記録計に比べて周波数応答がやや高い.	脳波 心電図など
インクジェット式記録計	DC〜600[Hz]	・周波数特性良好. ・紙とは非接触であるため高い周波数まで記録可能. ・記録をカラーで行うことが可能.	筋電図 心音図など
ラインサーマルレコーダ	DC〜2.5[kHz]	・機械的可動部なし（ペンの運動を必要としない）. ・波形の重ね書き可. 記録幅大. ・複合記録可能（波形，情報処理データ，画像など）. ・多チャンネル化が容易	脳波 心電図 血流など
電磁オシログラフ	DC〜5[kHz]	・波形の重ね書き可能. ・記録幅が大. ・多チャンネルにできる. ・表示器の中で最も広い周波数帯域を観察することができる.	筋電図

○表示装置
ディジタル式カラーモニタ
- ❯波形を時間軸上で静止してみることができる.
- ❯波形と文字を同時に表示できる.
- ❯赤, 緑, 青の 3 色分のメモリが必要である.
- ❯水平・垂直それぞれに同期信号発生器が必要である.
- ❯アナログ信号をディジタル信号に変換して出力する場合にシュミット回路が利用される.
- ❯ディジタル式カラーモニタでは入出力ともにディジタル信号のみを取り扱う場合はシュミット回路は不要である.

生体計測装置学
p.8〜12
p.36〜38
最新 生体計測装置学
p.8〜11
p.38〜40

（4）信号処理

○周波数解析 【33回】【35回】 ━━━━━━━━━━━━━━━━ ★★
高速フーリエ変換（FFT 法）
- ❯信号中に含まれる周期的変動を抽出し, 高速で計算する方法である.
- ❯MRI では磁界の強さの違いに用いられ, 共鳴周波数の違いによって位置を識別しているので, 周波数分析が重要.

自己相関関数
- ❯カラードプラ法で用いられる.
- ❯周期的信号の抽出が行えるが, 周波数分析精度は FFT 法に比べて劣る.
- ❯流速の平均値, 流れの方向, 流速成分のばらつきを表示できる.

○SN 比改善 【33回】 ━━━━━━━━━━━━━━━━ ★★
- ❯SN 比とは信号（S）の大きさと雑音（N）の大きさの比である.
- ❯SN 比は大きいほどよい測定系である.
- ❯周波数帯域を拡大しても SN 比は改善されない.
- ❯信号対雑音比［dB］を振幅で表すと $20 \log_{10}(S/N)$ である.

加算平均法
- ❯ディジタルフィルタは離散値の演算によって雑音を除去する.
- ❯反復して測定した信号を同期させて平均化することで, 不規則な雑音を除去する手法.
- ❯大脳誘発電位計測には加算平均法が用いられる.
- ❯誘発電位に混入した不規則雑音を除去する.
- ❯不規則雑音は加算平均によって, 振幅が $1/\sqrt{n}$ になる.

サブトラクション
- ❯画像の SN 比を改善する際, 2 枚の画像の差分を抽出する.

○信号平滑化 【35回】 ━━━━━━━━━━━━━━━━ ★★
スプライン補間
- ❯離散的な点を繋ぎあわせる処理. 滑らかな補間曲線が得られる.
- ❯胸壁面心電位の等電位マッピングに用いられる.

移動平均法
- ❯信号波形を滑らかにする（スムージングと呼ぶ）方法である.
- ❯脳波に混入した筋電図の除去に用いられる.
- ❯信号より周波数の高い雑音の除去に有効.

ウェーブレット変換
- ❯画像処理における近似, 圧縮, ノイズ除去などに用いる.
- ❯元の信号を高周波成分と低周波成分に分解, 分析を繰り返し行う.

○ 輪郭強調 【35回】 ──────────────────── ★★
微分処理
- ❯CT画像におけるエッジ強調.

○ 面積計算 【35回】 ──────────────────── ★★
積分演算
- ❯積分することで, 領域の面積を算出する.

（5）雑音と対策

生体計測装置学
p.11～14
p.33～38
|最新| 生体計測装置学
p.37～40

○ 差動増幅器 【35回】【36回】 ──────────── ★★
- ❯増幅器における一般的な感度は入力電圧に対する出力電圧の比, すなわち入出力比で表される.
- ❯商用交流雑音の除去にはCMRR（同相除去比）の高い差動増幅器を使用する.

○ 接地 【33回】 ──────────────────── ★★
- ❯測定器の接地端子と接地極を接地線で接続する.
- ❯ベッドと接地極を接地線で接続する.

○ フィルタ 【33回】【36回】 ──────────── ★★
- ❯雑音対策としてフィルタがある.
- ❯電源線から混入する雑音の除去にラインフィルタが使われる.
- ❯商用交流雑音（50～60 Hz）を除去するためにハムフィルタが使われる.
- ❯ローパスフィルタ（低域通過フィルタ）
  - ・低域遮断フィルタでは低域の利得が小さく, 高域の利得が大きくなるような周波数特性を持ち, 一定以上の信号を遮断する.
  - ・心電図信号に混じった筋電図ノイズのように, 高周波数の雑音を除去する.
- ❯ハイパスフィルタ（高域通過フィルタ）
  - ・基線動揺（ドリフトノイズ）のように, 低周波数の雑音を除去するのに適している.
- ❯ディジタルフィルタ
  - ・離散値の演算によって雑音を除去する.
  - ・加算平均法や移動平均法がある.

●シールド 【33回】 ★★

- ❯信号の入力導線にはシールド線が使われる.
- ❯入力導線をまとめると電磁誘導による交流雑音が軽減できる.
- ❯通信ケーブルで金属シースを被せることによって静電誘導は軽減される.
- ❯患者とベッド間のシールドマットを接地極に接続する.

臨床工学技士国家試験問題 Check UP!

問題 1 □□□ 31A27

雑音対策について誤っているのはどれか.

1. 信号の入力導線にシールド線を使用する.
2. 入力導線をまとめると電磁誘導による交流雑音が軽減できる.
3. ディジタルフィルタは演算によって雑音を除去する.
4. 不規則雑音の低減化には加算平均を使用する.
5. 高周波雑音はハムフィルタで除去する.

問題 2 □□□ 30A26

信号処理について正しい組合せはどれか.

a. 周波数解析——フーリエ変換
b. ＳＮ比改善——加算平均
c. 信号平滑化——微分演算
d. 輪郭強調——積分演算
e. 面積計算——移動平均

1. a, b　2. a, e　3. b, c　4. c, d　5. d, e

問題 3 □□□ 33P26

生体電気信号増幅器に求められる条件はどれか.

a. 入力インピーダンスが小さい.
b. 入力換算雑音が大きい.
c. 入力オフセット電圧が小さい.
d. 信号対雑音比が大きい.
e. 同相除去比が小さい.

1. a, b　2. a, e　3. b, c　4. c, d　5. d, e

問題 4 □□□ 30P26

ディジタル式カラーモニタについて誤っているのはどれか.

1. 波形を時間軸上で静止して見ることができる.
2. 波形の文字を同時に表示できる.
3. 複数の入力信号はシュミット回路で切り替える.
4. 赤, 緑, 青の3色分のメモリが必要である.
5. 水平・垂直それぞれに同期信号発生器が必要である.

問題 5　□□□　35A26

トランスデューサと変換する物理量との組合せで正しいのはどれか.

1. 差動トランス――――――温度
2. CdS――――――――――磁場
3. ホール素子――――――放射線
4. ストレインゲージ――光
5. 圧電素子――――――振動

問題 6　□□□　34A26

トランスデューサが備えるべき特性でないのはどれか.

1. 測定対象に対する選択性が良いこと.
2. 測定すべき範囲内で直線性が保たれていること.
3. 測定対象のもつ信号の応答速度に対応できること.
4. 生体に結合したとき低侵襲であること.
5. 信号対雑音比を小さくできること.

問題 7　□□□　35A27

生体電気計測用増幅器に差動増幅器を用いる主な目的はどれか.

1. 入力インピーダンスを大きくする.
2. 生体への電気的安全性を向上させる.
3. 入力換算雑音を小さくする.
4. 商用交流雑音を除去する.
5. 大きな増幅度を得る.

問題 8　□□□　35P26

信号処理の方法と目的との組合せで正しいのはどれか.

1. 微分演算――――――――高周波成分の除去
2. 移動平均――――――――周波数スペクトルの解析
3. 自己相関関数――――――周期的信号の抽出
4. フーリエ変換――――――エイリアシングの除去
5. ウェーブレット変換――SN 比の改善

問題 9　□□□　36A27

計測機器と用いられるトランスデューサとの組合せで誤っているのはどれか.

1. 超音波診断装置――――――圧電素子
2. 熱希釈式心拍出量計――――サーミスタ
3. パルスオキシメータ――――ホール素子
4. カプノメータ――――――赤外線検出素子
5. 観血式血圧計――――――ストレインゲージ

問題 10　□□□　36P25

心電図の計測で商用交流雑音対策に用いられるのはどれか.

a. 移動平均処理
b. 加算平均処理
c. 差動増幅器
d. ハムフィルタ
e. AC ラインフィルタ

1. a, b　2. a, e　3. b, c　4. c, d　5. d, e

問題 11　□□□　37P27

生体電気計測に用いられる電極について誤っているのはどれか.

1. 生体内イオン電流を電子電流へ変換する.
2. 皮膚との接触面積を広くすると接触インピーダンスが上昇する.
3. 電極ペーストは皮膚との接触インピーダンスを下げる.
4. 銀―塩化銀電極は不分極電極である.
5. X 線はカーボン電極を透過する.

〈解答〉問題 1-5,　問題 2-1,　問題 3-4,　問題 4-3,　問題 5-5,　問題 6-5,　問題 7-4,　問題 8-3,　問題 9-3,　問題 10-4,　問題 11-2

3. 生体電気計測

生体計測装置学
p.34
外部雑音
最新 生体計測装置学
p.31〜32

（1）生体電気計測の特性

○標準感度
- ❯心電計：1 mV/10 mm
- ❯脳波計：50 μV/5 mm
- ❯筋電計：500 μV〜1 mV/DIV

○同相除去比（同相弁別比，CMRR）　　　　　　　　　　　　　★
- ❯差動増幅回路で，差動信号に対する増幅度（利得）を Ad [dB]，同相信号に対する増幅度（利得）を Ac [dB] とすると，同相除去比（CMRR）は下記のように表される．
  CMRR [dB]＝20 $\log_{10}$（Ad/Ac）
- ❯CMRR は大きいほどよい．

例題

　同相入力雑音電圧が 2 V の環境下で 0.5 mV の心電図を記録した．信号出力は 100 mV，同相雑音出力は 4 mV であった．同相除去比（CMRR）はいくつか．

解答

　差動利得は Ad＝100 mV/0.5 mV＝200
　同相利得は Ac＝4 mV/2 V＝0.002
　よって，CMRR＝20 $\log_{10}$(Ad/Ac)＝20 $\log_{10}$(200/0.002)＝20 $\log_{10} 10^5$＝100 [dB]

○周波数帯域　　　　　　　　　　　　　　　　　　　　　　　★
- ❯低域の周波数特性は時定数によって規定される．
- ❯ハムフィルタを入れると心電図波形の QRS がひずむ．
- ❯心電図成分で高域通過フィルタの時定数を小さくすると ST 部分が最も影響する．
- ❯高周波数領域では電極の性能に影響されることはない．

○時定数
- ❯心電計では入力波形を増幅器に接続する際の CR 結合回路（微分回路）における時定数が対象となる．
- ❯入力電圧に対する過度応答の特性を表している．
- ❯増幅器の低域遮断周波数に反比例する．

（2）心電計

○概要 【34回】 ★★

感度	10 mm/mV. 検知できる最小値は 10 Hz の信号で 20 μV 以下
周波数特性	約 0.05 Hz～100 Hz
誘導法	一般に標準 12 誘導
同相除去比（CMRR）	60 dB 以上
時定数	3.2 秒以上
入力インピーダンス	2 MΩ 以上
紙送り速度	25 mm/s
校正電圧	1 mV

❷差動増幅器はドリフトの影響を抑える効果がある.

例題

　心電図を標準紙送りの速さで記録したとき，PQ 間隔が 4.5 mm のときの PQ 時間［s］はいくつか.

　また，R-R 間隔が 30 mm であった際の心拍数［回/分］はいくつか.

解説

　心電図記録の標準紙送り速さは 25［mm/s］で，1 mm は，1 秒÷25 mm＝0.04 秒を示す.

　PQ 間隔が 4.5 mm のとき 25 mm が 1 秒のため，PQ 時間は 4.5÷25＝0.18 秒となる.

　また，R-R 間隔が 30 mm のとき，1 mm は 0.04 秒のため，30 mm×0.04 秒＝1.2 秒. つまり，心拍数は 1.2 秒に 1 回となる. 1 分間は 60 秒のため，心拍数は 60÷1.2＝50［回/分］.

○誘導法

標準 12 誘導の誘導部位と電極の極性 【33回】【36回】 ★★

誘導		正電極（＋）	負電極（－）
双極肢誘導	I	左手 (L)	右手 (R)
	II	左足 (F)	右手 (R)
	III	左足 (F)	左手 (L)
単極肢誘導	aVR	右手 (R)	左手 (L) と左足 (F) の中間端子
	aVL	左手 (L)	右手 (R) と左足 (F) の中間端子
	aVF	左足 (F)	右手 (R) と左手 (L) の中間端子
単極胸部誘導	V1	C1（第 4 肋間胸骨右縁）	
	V2	C2（第 4 肋間胸骨左縁）	
	V3	C3（C2 と C4 の中間）	ウィルソンの結合端子
	V4	C4（第 5 肋間鎖骨中線上）	
	V5	C5（第 5 肋間前腋窩線上）	
	V6	C6（第 5 肋間中腋窩線上）	

❷生体電気信号の単極誘導，双極誘導がある.

❷双極肢誘導の間には II ＝ I ＋ III の関係（アイントーベンの法則）がある.

❷QRS 平均電気軸は双極肢誘導から求めることができる.

❷II 誘導は右手と左足の電位差を表す.

- ❷Ⅲ誘導は左手と左足の電位差を計測する.
- ❷Ⅰ誘導と aVL は左心室側壁の情報を提供している.
- ❷Ⅱ誘導，Ⅲ誘導，aVF は，心臓の下壁の情報を反映している.
- ❷aVF はⅠ，Ⅱ，Ⅲ誘導の任意の 2 つから算出できる.
- ❷aVF 誘導（ゴールドバーガーの結合端子を利用）は VF 誘導（ウィルソンの結合端子を利用）の 1.5 倍の電位変化を表す.
- ❷aVR 誘導は，左手と左足を結合した点を基準電極として用いる.

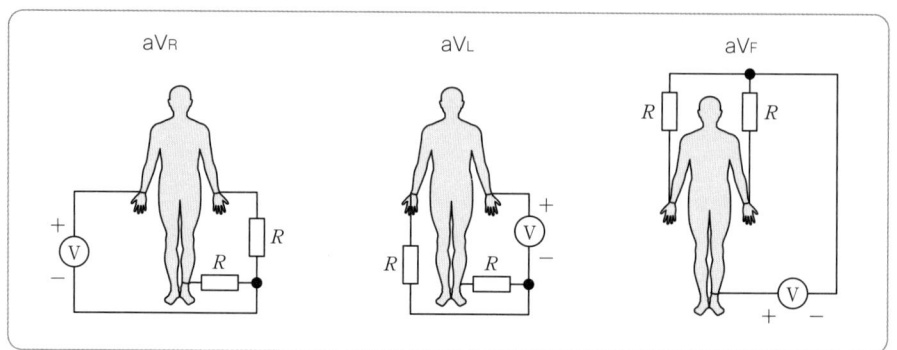

図　単極肢誘導

- ❷V_1 誘導電極は第 4 肋間胸骨右縁上に装着する.
- ❷単極胸部誘導では不関電極として右手，左手，左足を抵抗で結合し（ウィルソンの結合端子），関電極として胸部に置かれた $V_1 \sim V_6$ の電極にて誘導する.
- ❷差動増幅器のニュートラル端子には右足電極を接続する.
- ❷ベクトル心電図にはフランク誘導が用いられる.

心電図誘導電極の右手と左手を逆に装着した場合
- ❷aVR と aVL の波形が入れ替わる.
- ❷Ⅱ誘導とⅢ誘導の波形が入れ替わる.
- ❷Ⅰ誘導の波形が反転する.
- ❷aVF の波形は正常.
  - ・負電極（－）である右手と左手の中間端子（不関電極）の電位は変わらない.
- ❷胸部誘導（$V_1 \sim V_6$）は正常.
  - ・負電極（－）であるウィルソンの結合端子（不関電極）の電位は変わらない.

誘導合成演算
〈Ⅰ，Ⅱ誘導のみ記録した場合（右手電位 R，左手電位 L，左足電位 F）〉
- ❷$Ⅰ = L - R$
- ❷$Ⅱ = F - R$
- ❷$Ⅲ = F - L = (F - R) - (L - R) = Ⅱ - Ⅰ$
- ❷$aVR = R - 1/2(L + F) = 1/2[(R - L) + (R - F)] = -1/2[(L - R) + (F - R)]$
  $= -1/2(Ⅱ + Ⅰ)$
- ❷$aVL = L - 1/2(R + F) = 1/2[(L - R) + (L - F)] = 1/2(Ⅰ - Ⅲ) = Ⅰ - Ⅱ/2$
- ❷$aVF = F - 1/2(R + L) = 1/2[(F - R) + (F - L)] = 1/2(Ⅱ + Ⅲ) = Ⅱ - Ⅰ/2$

❯aVR＋aVL＋aVF＝0

心拍数のカウントに影響を及ぼす可能性があるもの

❯体動の発生
❯心電図のT波の増高
❯電気メスの使用
❯ペースメーカの使用

心電図信号の交流雑音対策　【34回】【36回】 ★★

❯ハムフィルタを用いる．
❯心電図の同相除去比（CMRR）は少なくとも60 dB 以上を用いる．
❯患者ベッドの病室の壁から離して配置する．
❯シールドシートを使用する．
❯不要な電気機器は使用しない．
❯皮膚と電極との接触抵抗を小さくする．など
❯差動増幅器を用いる．

ディジタル心電計

解析機能付ディジタル心電計

❯平滑化：移動平均
❯記録部：サーマルマルチドットレコーダ
❯量子化：12～16 bit
❯サンプリング周波数：250～500 Hz
❯心電図解析：微分演算

その他の心電図

医用テレメータ　【33回】【35回】【37回】 ★★★

❯UHF 帯（300 MHz～3 GHz）の420～450 MHz が割り当てられ，医用テレメータとして1～6 バンドが利用されている．
❯使用する専用周波数帯は各メーカ共通である．
❯チャネル数は001～480 チャネル．

❯チャネル番号はバンド数＋チャネル数で構成されているため，4桁の数字で区別される．

❯医用テレメータではディジタル変調方式の一つである周波数偏移変調（FSK変調）方式が用いられることが多い．

❯アンテナシステムとして漏洩同軸ケーブルを用いる．

❯フェージング現象による電波障害を防ぐためにアンテナを2本設置するダイバーシティ方式を用いる．

❯受信感度向上のためにブースタを用いる．

❯A型チャネル（中心周波数）の間隔は12.5 kHzである．B型チャネルは25 kHzである．

❯B型はA型よりも占有周波数帯域幅が広い．

❯C型は4チャネル（50 kHz）を占有している．

❯空中線電力は
  ・A〜D型：1 mW以下
  ・E型：10 mW以下
  ・免許を要しない特定省電力無線局として位置づけられる．

❯入力部
  ・正電極の色は緑色である．
  ・負電極の色は赤色である．
  ・中性電極の色は黄色である．

❯低域遮断のための時定数は0.3秒以上である．

❯心電図のサンプリング周波数は200 Hz以上．

❯送信アンテナは誘導コードと兼用できる．

❯受信アンテナの長さは波長の1/4倍に設定する．

❯近接する周波数にはアマチュア無線帯域がある．

〈ゾーン番号と表示色〉

ゾーン	1	2	3	4	5	6	7	8	9	10
表示色	茶	赤	橙	黄	緑	青	紫	灰	白	黒

❯混信対策としてゾーン配置が用いられる（ゾーン配置は建物の構造によって異なる）．

❯混信対策のゾーンは色ラベルで表示する．

❯ゾーンは10種類の色で区別する．

❯ゾーン配置した区域内（同じ病棟内など）では，同一ラベル色の送信器が使われる．

ホルター心電計

❯日常生活の心電図を連続的に長時間測定して，その記録を専用の高速再生分析装置に取り込み診断する．

❯測定は通常24時間単位で行われる．

❯診断
  ・心筋虚血
  ・心室性期外収縮
  ・洞機能不全
  ・頻脈
  ・薬物効果判定

・ペースメーカの機能評価

（3）脳波計

生体計測装置学
　p.74〜90
最新 生体計測装置学
　p.75〜88

○ 概要 【34回】【37回】 ────────────── ★★

標準感度	50 μV/5 mm（10 μV/mm）
最高感度（脳死判定時）	2 μV/mm（10 μV/5 mm）
雑音レベル	1秒間に3 μVpp以上が1回以下 → 3.0 μVpp以下
周波数帯域	0.5〜60（100）Hz 程度
時定数（低域遮断周波数）	0.3秒（0.5 Hz）
同相除去比（CMRR）	60 dB（学会基準100 dB）以上
入力インピーダンス	2つの入力端：10 MΩ 以上（1つの入力端：5 MΩ 以上）
A/D変換時のサンプリング周波数	200 Hz 以上
誘導法	10/20 法
記録速度	30 mm/s

❷ 脳波記録の基線動揺を低減させるために，高域フィルタ（低域遮断フィルタ）を用いる．

❷ 呼吸などの動揺を除去するために時定数を小さくすると，脳波の徐波成分の振幅が低下する．

❷ 低域遮断周波数　$f = 1/2\pi\tau$
　（f：周波数，τ：時定数）

❷ 商用交流からの静電誘導は雑音の原因となる．

❷ 移動平均法は筋電図の除去に利用される．

○ 脳波

δ波	0.5〜4 Hz	深い昏睡
θ波	4〜8 Hz	睡眠
α波	8〜13 Hz	覚醒状態，安静，閉眼
β波	13〜30 Hz	覚醒，開眼，ストレスが加わったとき
γ波	30 Hz〜	

○ ディジタル脳波計

❷ 電極単位ごとに基準電極（システムリファレンス電極）との電位差を導出する．

❷ バッファメモリなどにファイリングされる．

❷ 検査終了後に各電極のデータを読み出すことで，自由にモンタージュを変更することが可能である（リモンタージュ機能）．

❷ 感度やフィルタ特性などについても変更可能である．

❷ 最高周波数を100 Hzとした場合，サンプリング定理によりサンプリング周波数は2倍の200 Hz以上，サンプル間隔は5 ms以下．

○**電極（皿・針・表面電極）**

❷皿電極：電極インピーダンスは大きいが，低侵襲のため通常の検査で用いられる．

❷針電極：低インピーダンスだが，感染などに注意が必要．

❷表面電極：シート状の電極．基本的には皿電極と同様．

❷導出電極は円板状皿電極が用いられる．

○**大脳誘発脳波計測** 【36回】 ━━━━━━━━━━━━━━━━━━━━━━━━ ★★

❷誘発電位は安静時脳波に比べて非常に小さい．

❷脳死判定の補助診断に用いられる：聴性脳幹反応（ABR）に使用．

❷脳手術時のモニタリングに利用される．

❷聴性誘発電位計測にはクリック音が用いられる．

❷聴性脳幹反応（ABR）では頭部と側頭部の電位差が記録される．

❷刺激に同期して加算平均処理を行う．

❷計測に磁気センサを用いる．

❷刺激が加えられて反応が起きるまでを潜時という．

❷刺激から潜時をもって誘発電位が現れる．

❷実際に測定される誘発電位では，体性感覚誘発電位は数 μV，視覚誘発電位で数 μV，
聴性脳幹誘発電位はそれらより 1/10 程度の大きさである．

生体計測装置学
　p.97～102
最新 生体計測装置学
　p.89～95

╭───╮
│ （4）筋電計 │
╰───╯

○**概要** ━━━━━━━━━━━━━━━━━━━━━━━━━━━━━━━━━━ ★

入力インピーダンス	10 MΩ以上
増幅度	1,000～10,000 倍
周波数特性	5 Hz～10 kHz （5～10,000 Hz） －3 dB
校正電圧	10 μV～50 mV
感度	10 μV/DIV～10 mV/DIV
時定数	0.03 秒
標準感度	500 μ～1 mV / DIV
同相除去比（CMRR）	60 dB 以上
入力換算雑音	10 μVpp 以下
サンプリング周波数	50 kHz
分解能	8～16 bit
演算	波形のピーク値，持続時間などの波形解析，加算平均化処理，データの記録，刺激装置の制御など
記録器	サーマルアレイ方式 ブラウン管オシロスコープ 電磁オシロスコープ

○**構成要素** 【34回】 ━━━━━━━━━━━━━━━━━━━━━━━━━━ ★★

❷各種電極（針電極，皿電極，刺激電極）

❷入力箱（増幅装置，A/D 変換装置）

❷演算装置（高周波・低周波・ハムフィルタ，加算平均装置，感度切替など）

- ❷電気刺激装置（アイソレータ）
- ❷スピーカ（筋電図を音に変換して聴取するため）
- ❷ディスプレイ
- ❷記録器

○電極と誘導法

- ❷針筋電図検査：筋電図記録には 1 本の運動神経が支配する複数の筋線維（運動単位）の記録を目的に針電極が用いられる．
- ❷表面筋電図検査：筋全体の活動を記録する際には，皿電極が用いられる．
- ❷誘発筋電図：刺激電極により末梢神経を電気刺激し，誘発された筋電図を測定する．
- ❷神経伝導検査：刺激電極により末梢神経を電気刺激し，誘発筋電図の潜時などから神経伝導速度を算出する．

○神経伝導検査　【36回】 ──────────────── ★★

運動神経伝導速度（MCV）

- ❷末梢神経の 2 点で，筋への電気刺激点と末端の誘発された電位を導出する．
- ❷MCV [m/s]＝刺激 2 箇所間の距離 [mm]／誘発筋電図の潜時差 [ms]
- ❷下図は運動神経伝導速度の計測を表し，D は刺激点と刺激点との距離，$T_1 \cdot T_2$ はそれぞれの潜時である．

  ・伝導速度 $= \dfrac{D}{T_2 - T_1}$　で表される．

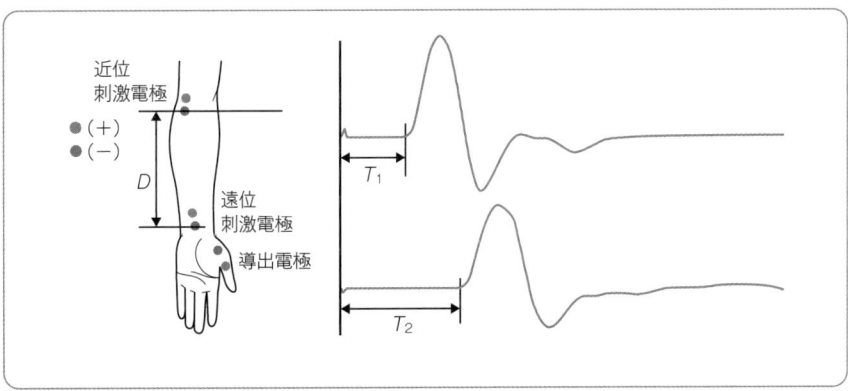

図　運動神経伝導速度の計測
（最新 生体計測装置学. 医歯薬出版, p.92, 2024）

- ❷計測には複合筋活動電位（compound muscle action potential；CMAP）波を用いる．
- ❷電気刺激は限局した場所が刺激されるように必ずアイソレータを介して行う．
- ❷刺激出力
  ・定電流：最大約 100 mA
  ・定電圧：最大約 300 V
  ・パルス幅：0.05〜1.0 ms

感覚神経伝導速度（SCV）

- ❯刺激箇所は 1 箇所.
- ❯SCV [m/s] ＝D（刺激箇所と記録電極との距離）[mm] ／ T（誘発筋電図の潜時）[ms]
- ❯計測には感覚神経活動電位（sensory nerve action potential；SNAP）を用いる.

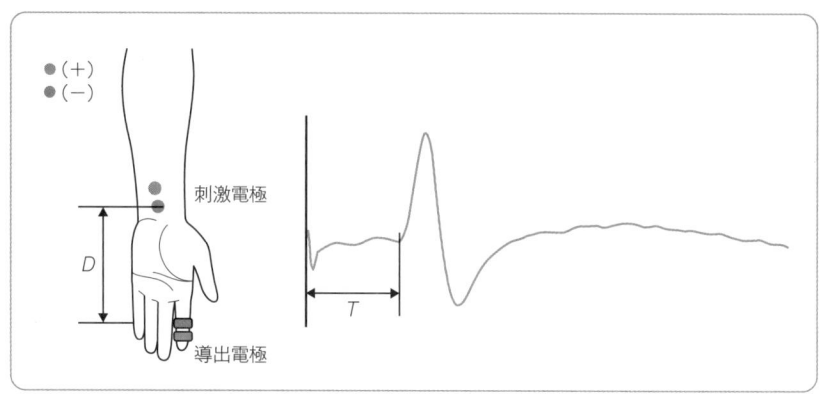

図　感覚神経伝導速度の計測
(最新 生体計測装置学. 医歯薬出版, p.93, 2024)

臨床工学技士国家試験問題　　Check UP!

(2) 心電計

問題 1　□□□　26A28

心電計について誤っているのはどれか.

- a．右手と左手の電極を入れ替えるとⅠ誘導の極性が変わる.
- b．aVF は心臓の下壁の情報を反映している.
- c．aVR はⅠ，Ⅱ，Ⅲ誘導の任意の 2 つから算出できる.
- d．QRS 平均電気軸は単極胸部誘導から求める.
- e．単極胸部誘導は右足の電極を基準にした電位差を記録する.

1. a，b　2. a，e　3. b，c　4. c，d　5. d，e

問題 3　□□□　29P26

心電図誘導電極の右手と左手を逆に装着した. 誤っているのはどれか.

- a．aVR と aVL の波形が入れ替わる.
- b．第Ⅱ誘導と第Ⅲ誘導の波形が入れ替わる.
- c．第Ⅰ誘導の波形が反転する.
- d．aVF の波形が反転する.
- e．胸部誘導の波形が変化する.

1. a，b　2. a，e　3. b，c　4. c，d　5. d，e

問題 2　□□□　28A27

ディジタル心電計における aVR の計算式はどれか. ただし，Ⅰ，Ⅱ，Ⅲは標準肢誘導を表す.

1. $Ⅰ－Ⅱ/2$
2. $－(Ⅰ＋Ⅱ)/2$
3. $Ⅱ－Ⅰ/2$
4. $(Ⅱ－Ⅲ)－Ⅰ$
5. $3(Ⅰ＋Ⅲ)/2$

問題 4　□□□　31P26

心電図成分で高域通過フィルタの時定数を小さくすると最も影響する部分はどれか.

1. P
2. Q
3. R
4. ST
5. T

心電図を標準の速さで記録したとき，PQ 間隔が 5 mm の時 PQ 時間 [s] はどれか.

1. 0.10
2. 0.15
3. 0.20
4. 0.35
5. 0.40

標準紙送り速さで記録した心電図の R-R 間隔が 20 mm であった．心拍数 [回/分] はどれか.

1. 40
2. 48
3. 65
4. 75
5. 90

図は標準 12 誘導心電図の誘導法を電気回路で表したものである．図の誘導はどれか.

1. Ⅰ誘導
2. Ⅲ誘導
3. aV_R 誘導
4. aV_L 誘導
5. V_3 誘導

心電図テレメータについて誤っているのはどれか.

1. 送信機のチャネル番号は 4 桁の数字で表示する.
2. 専用周波数帯は 1 GHz 帯にある.
3. ディジタルフィルタは変調方式には FSK がある.
4. ダイバーシティ方式は受信感度の安定に役立つ.
5. 同じ病棟内では同じ色ラベルの送信機を使用する.

心電図テレメータについて誤っているのはどれか.

a. 送信機のアンテナが長いほど送信効率がよい.
b. 使用する専用周波数帯は各メーカ共通である.
c. 混信対策としてゾーン配置が用いられる.
d. 受信感度不足にはブースタが用いられる.
e. 空中線電力は 15 mW 以下である.

1. a, b 2. a, e 3. b, c 4. c, d 5. d, e

心電図記録の交流雑音対策で正しいのはどれか.

1. 誘導コード同士は離してばらばらに配置する.
2. 心電計の電源コードはベッドと平行に配置する.
3. 心電計の弁別比は少なくとも 40dB 以上を用いる.
4. 患者のベッドは病室の壁から離して配置する.
5. 心電計の右足コードは保護接地端子に直接接続する.

小電力医用テレメータについて正しいのはどれか.

a. A 型送信機の帯域間隔は 25 kHz である.
b. アンテナシステムとして漏洩同軸ケーブルが用いられる.
c. フェージング防止にダイバーシティーアンテナが用いられる.
d. 受信感度向上のためにブースタが用いられる.
e. 割り当て周波数バンドは 1〜5 バンドに分類される.

1. a, b, c 2. a, b, e 3. a, d, c
4. b, c, d 5. c, d, e

小電力医用テレメータについて誤っているのはどれか.

a. 送信機のアンテナが長いほど送信効率がよい.
b. 使用する周波数帯は各メーカ共通である.
c. 混信対策としてゾーン配置が用いられる.
d. 受信感度不足にはブースタが用いられる.
e. 送信出力は 50 mW 程度である.

1. a, b 2. a, e 3. b, c 4. c, d 5. d, e

問題 13 □□□ 29P27

脳波計について正しいのはどれか.

- a. 必要な周波数帯域は 5.0〜60 Hz である.
- b. 低域遮断周波数を規定する時定数は 0.03 秒である.
- c. 雑音レベルは 3.0 μVpp 以下である.
- d. A/D 変換時のサンプリング周波数は 200 Hz 以上である.
- e. 最大感度は 10 μV/mm である.

1. a, b　2. a, e　3. b, c　4. c, d　5. d, e

問題 14 □□□ 26P28

誘発脳波計測について正しいのはどれか.

- a. 脳死判定の補助診断に利用される.
- b. 刺激に同期して加算平均処理を行う.
- c. 計測にホール素子を用いる.
- d. 刺激を加える周期を潜時という.
- e. 電極配置には標準 12 誘導を用いる.

1. a, b　2. a, e　3. b, c　4. c, d　5. d, e

問題 15 □□□ 28P27

ディジタル脳波計について誤っているのはどれか.

1. 脳波導出にはシステムリファレンス電極が必要である.
2. 脳波記録終了後にモンタージュの変更ができる.
3. サンプリング間隔は 100 ms 程度である.
4. 脳波記録終了後に表示感度の変更ができる.
5. 脳波記録終了後にフィルタ特性の変更ができる.

問題 16 □□□ 25P27

脳波記録の基線動揺を低減させるために用いるのはどれか.

1. 高域フィルタ
2. 低域フィルタ
3. 帯域遮断フィルタ
4. インストスイッチ
5. 感度切り替えスイッチ

問題 17 □□□ 24A28

ディジタル脳波計として適切でないのはどれか.

1. モンタージュ処理は電極接続器で行う.
2. 各チャネルの入力インピーダンスは 5 MΩ 以上である.
3. 必要な周波数帯域は 0.5〜100 Hz である.
4. 標準感度は 50 μV/5 mm である.
5. 時定数は 0.3 秒である.

問題 18 □□□ 34P26

睡眠脳波計測中に筋電図が混入した. これを除去するために行う処理で正しいのはどれか.

1. 加算平均
2. 移動平均
3. 微分演算
4. 自己相関
5. フーリエ変換

問題 19 □□□ 36P26

誘発脳波計測について誤っているのはどれか.

1. 脳手術時のモニタリングに利用される.
2. 刺激から潜時をもって誘発電位が現れる.
3. 刺激に同期して誘発電位の加算平均処理を行う.
4. 聴性誘発電位計測にはクリック音が用いられる.
5. 安静時脳波よりも誘発脳波の電位変動は大きい.

問題 20 □□□ 37P28

脳波計について正しい組合せはどれか.

- a. 標準感度―――――――5 mm/50 μV
- b. 時定数―――――――0.03 s
- c. 同相除去比―――――40 dB
- d. 入力インピーダンス――1 MΩ
- e. 記録速度―――――――30 mm/s

1. a, b　2. a, e　3. b, c　4. c, d　5. d, e

（4）筋電計

運動神経伝導速度の計測について誤っているのはどれか.

- a. 計測には複合筋活動電位（CMAP）波を用いる.
- b. 神経部位の2ヵ所の電気刺激が必要である.
- c. 電気刺激はアイソレータを介して行う.
- d. 刺激電流のパルス幅は5〜10 ms を用いる.
- e. 加算平均装置が必要である.

1. a, b　2. a, e　3. b, c　4. c, d　5. d, e

筋電計として適切でないのはどれか.

1. 周波数帯域は 5 Hz〜10 kHz である.
2. 運動単位の測定には針電極を使う.
3. 同相除去比は 100 dB 程度である.
4. 時定数は 0.03 秒である.
5. 入力インピーダンスは 100 kΩ 程度である.

筋電計について適切な組合せはどれか.

1. 周波数特性————————5 Hz〜10 kHz
2. 時定数————————————0.3 s
3. 最大感度————————————10 mV/DIV
4. CMRR————————————20 dB
5. 入力インピーダンス————1 MΩ

筋電計の構成要素でないのはどれか.

1. 加算平均装置
2. 針電極
3. 電気刺激装置
4. 音刺激装置
5. スピーカ

図は神経伝導速度の電極配置と計測結果を模式的に表したものである. 神経伝導速度を求める式はどれか. ただし, 図中の D_1, D_2 は電極間の距離, T_1, T_2 は潜時を表す.

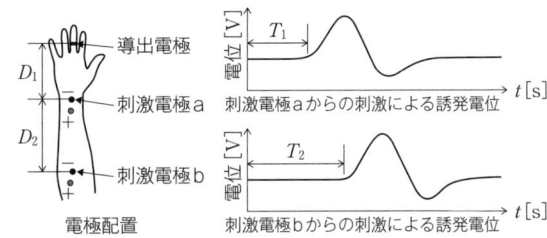

1. $\dfrac{D_1}{T_1}$　2. $\dfrac{D_2+D_1}{T_2-T_1}$　3. $\dfrac{D_2+D_1}{T_2+T_1}$

4. $\dfrac{D_1}{T_2-T_1}$　5. $\dfrac{D_2}{T_2-T_1}$

〈解答〉問題 1-5, 問題 2-2, 問題 3-5, 問題 4-4, 問題 5-3, 問題 6-4, 問題 7-4, 問題 8-2, 問題 9-2, 問題 10-4, 問題 11-4, 問題 12-2, 問題 13-4, 問題 14-1, 問題 15-3, 問題 16-1, 問題 17-1, 問題 18-2, 問題 19-5, 問題 20-2, 問題 21-5, 問題 22-5, 問題 23-1, 問題 24-4, 問題 25-5

（1）心磁図の計測

○生体の主な磁気信号

	大きさ [T]	周波数 [Hz]
肺磁図（MPG）	$10^{-9} \sim 10^{-8}$	DC
心磁図（MCG）	$10^{-11} \sim 10^{-10}$	0.05〜200
脳磁図（MEG）	$10^{-13} \sim 10^{-12}$	0.5〜30

○SQUID 磁束計

- ❯SQUID（super quantum interference device：超伝導量子干渉素子）とは，超高感度磁気センサである．
- ❯SQUID 磁束計の感度：10^{-14} T，ホール素子の感度：10^{-10} T
- ❯心磁図や脳磁図測定に用いられる SQUID は，超伝導リングにジョセフソン（Josephson）接合を複数配置した磁気センサである．
- ❯Josephson 接合された 2 つの超伝導体間をごく微小の磁束が貫くと，微小電流が流れることで検知が可能となる［ジョセフソン（Josephson）効果］．
- ❯SQUID は超伝導を利用するため，液体ヘリウムによる冷却が必要である．
- ❯心磁図は 10^{-11} T 程度の微弱な磁界であり，SQUID によってのみ検出される．

（2）脳磁図の計測

○SQUID 磁束計　【33回】【35回】　　　　　★★

- ❯SQUID については上記参照．
- ❯脳磁図は 10^{-13} T 程度の微弱な磁界であり，SQUID によってのみ検出される．
- ❯脳磁図の空間分解能は脳波より高い．
- ❯電流ダイポール（脳内の活動部位）の位置が推定できる．
- ❯計測には磁気シールドルームが必要である．

問題 1　□□□　33P28

脳磁図計測について正しいのはどれか.

- a. 脳磁場検出にはホール素子を用いる.
- b. 計測には静電シールドルームが必要である.
- c. センサの冷却には液体ヘリウムが必要である.
- d. 脳磁図の空間分解能は脳波より高い.
- e. 頭皮に垂直な電流双極子による磁場を検出している.

1. a, b　2. a, e　3. b, c　4. c, d　5. d, e

問題 2　□□□　35P27

脳磁計について誤っているのはどれか.

1. ホール素子が用いられる.
2. センサの冷却に液化ヘリウムが用いられる.
3. SQUID が用いられる.
4. 電流ダイポールの位置が推定できる
5. 磁気シールド室が必要である.

〈解答〉問題1-4,　問題2-1

（1）観血式血圧計

○ 概要 ★

- ❱ 心拍ごとの血圧が測定可能である.
- ❱ 構成要素
  - ・カテーテル
  - ・血圧トランスデューサ
  - ・増幅器
  - ・ダンピングデバイス
  - ・フラッシュデバイス：抗凝固薬の持続注入機能をもつ.
- ❱ フラッシュデバイスは，カテーテル先端が凝固しないように，加圧バッグからヘパリン加生理食塩液を少しずつ自動的に注入する.
- ❱ カテーテル内をヘパリン加生理食塩水で満たし，気泡を完全に除去する.
- ❱ 加圧バッグはビニル製の耐圧ソフトバッグを用いる.
- ❱ 加圧バッグは逆流防止のため，ゴム球で約 300 mmHg まで加圧する.
- ❱ 血圧トランスデューサは，右房の高さに等しくなるように設置し，大気解放でゼロ校正を行う.

○ 血圧トランスデューサ

ストレインゲージ（血圧トランスデューサ）

- ❱ 半導体ストレインゲージには温度補償回路が用いられる.
- ❱ ダンパを用いて波形の振動を抑制することができる.
- ❱ 受圧膜によって圧力が変位に変換される.
- ❱ ストレインゲージの微小抵抗変化はブリッジ回路で検出される.
- ❱ ストレインゲージの抵抗変化はひずみに比例する.

○ 測定誤差 【35回】 ★★

誤差要因	測定される血圧値			対策
	最高	最低	平均	
トランスデューサの位置が高い	下がる	下がる	下がる	右房の高さにする
トランスデューサの位置が低い	上がる	上がる	上がる	
ゼロ点がドリフトする ゼロ点の位置ずれ	同じ方向へずれる			トランスデューサを大気開放にしてゼロ調整を行う
気泡の混入	下がる	上がる	変化なし	気泡を除去する
カテーテル先端が詰まる（凝血）	下がる	上がる	変化なし	急速フラッシュする
先端が血管壁にあたる	下がる	上がる	変化なし	カテーテル先端の位置をわずかにずらす
共振する	上がる	下がる	ずれる	ダンピングデバイスを用いる

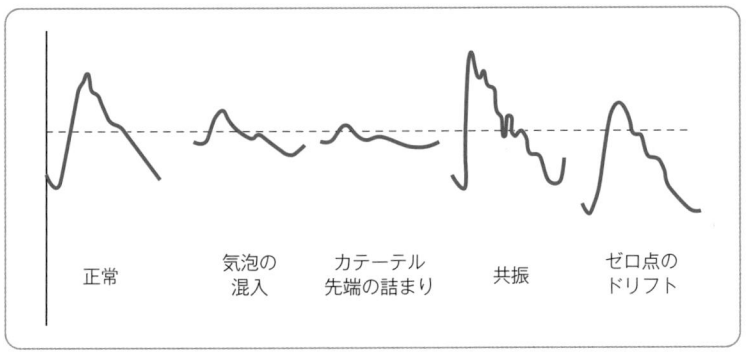

図　波形のひずみ

正常　　　気泡の　　　カテーテル　　共振　　　ゼロ点の
　　　　　混入　　　先端の詰まり　　　　　　　ドリフト

観血式血圧計測において血液逆流の原因
- ❯血圧ラインの接続部の緩み
- ❯三方活栓の操作ミス
- ❯加圧バッグの圧力不足

波形が歪む（ダンピング）原因
- ❯カテーテル内での気泡混入
- ❯カテーテル先端での血栓形成
- ❯カテーテル先端での先当たり

その他
- ❯室温の変化（温度補正を行う）
- ❯電源投入直後の血圧測定

○中心静脈圧の計測 ─────────────────── ★
- ❯中心静脈圧は，観血式測定法で計測できる.
- ❯中心静脈圧は，カテーテルを血管から心臓内に挿入して直接血圧を測定する［スワンガンツカテーテル（サーモダイリュージョンカテーテル）にて］.

（2）非観血式血圧計

生体計測装置学
　p.112〜122
最新 生体計測装置学
　p.113〜118

○聴診法（コロトコフ音）【33回】 ───────────── ★★
- ❯コロトコフ音の聴取によって血圧を測定する方法.
- ❯脈圧＝収縮期血圧−拡張期血圧
- ❯平均血圧＝拡張期血圧＋（脈圧/3）

誤差要因

誤差要因	測定血圧		対策
	最高	最低	
測定部位が心臓より高い	**下がる**	**下がる**	心臓と同じ高さにする
測定部位が心臓より低い	上がる	上がる	
カフ幅が狭すぎる	**上がる**	**上がる**	患者にあったサイズ（成人・小児）のカフを使用する
カフ幅が広すぎる	下がる	下がる	
カフの巻き方が緩い	上がる	上がる	指が1～2本入る程度に緩める
カフの巻き方がきつい	下がる	下がる	
脱気速度が速すぎる	**下がる**	**上がる**	1心拍あたり2～3mmHgで下げる
水銀柱が傾いている	**上がる**	**上がる**	水銀柱をまっすぐに立てる
水銀量が少なすぎる	下がる	下がる	水銀の補充
空気フィルタが汚れている	上がる	上がる	フィルタの交換
脱気速度が異常に速い	最高・最低の脈圧差が少ない		水銀血圧計で確認し，機器の故障が考えられる場合は交換する
脱気機構が故障している			

○オシロメトリック法 【34回】 ★★
- ▶血圧カフ内のオシレーション（振動）を利用して血圧を測定する．
- ▶非観血式間欠血圧測定法である．
- ▶振幅が最大となったときの血圧が平均血圧に等しくなる．
- ▶最低・最高血圧の測定ができる
- ▶不整脈は計測誤差の原因となる．

○トノメトリ法
- ▶血管に皮膚の上からセンサを押し当て血管内部の圧力を測定する．
- ▶非観血式であるが，連続血圧測定法．
- ▶心拍ごとの血圧が測定可能である．

○容積補償法
- ▶心拍ごとの血圧が測定可能である．
- ▶ゼロ位法とも呼ばれる．
- ▶指先の脈波を検出しながら指に巻いた小さなカフを加圧する．
- ▶脈波が出なくなるように（指先の容積が脈波で変化しないように）カフの圧をサーボコントロールすることにより，動脈圧と同じ圧をカフから得ることができる．

生体計測装置学
p.122～130
最新 生体計測装置学
p.119～124

（3）血流計

○トランジットタイム型超音波血流計 【33回】【37回】 ★★
- ▶超音波の順・逆方向の伝播時間差から流量を測定する．
- ▶プローブから超音波を照射し，その反射波を検出する．
- ▶超音波の送信素子と受信素子の流路の上・下流に接地して，超音波の送受信を行う．
- ▶流路全体は十分広い超音波音場に置かれる．

特徴

- ❯ゼロ点や感度補正が不要.
- ❯測定精度が高い（±15％程度）.
- ❯複数チャネルの同時測定が可能.
- ❯電磁的干渉を受けない.
- ❯細径動脈の計測が可能：外径1mm程度の動脈で計測できる.
- ❯血管や体外循環回路チューブ［ポリ塩化ビニル（PVC），シリコンチューブやポリウレタンチューブなど］での流量測定が可能であるが，人工血管の血流は測定できない.
- ❯体表面からの測定はできない.
- ❯血流が速いほど伝播時間差が大きい.

○ 超音波ドプラ血流計

超音波ドプラ血流計 ─────────────────── ★

- ❯体表から計測できる.
- ❯無侵襲計測装置である.
- ❯血管内に超音波を照射し，そのときの血球からの散乱で生じた反射波のドプラシフトを利用して血流を測定できる.
- ❯血流がプローブに向かっているとき，受信周波数は送信周波数よりも高くなる.
- ❯超音波ビームの照射方向が血流方向に対して垂直なとき，ドプラシフトは観測されない.
- ❯超音波は標本化定理において，「入力信号成分の最高周波数の2倍以上の頻度でサンプリングされると正しく再生できる」とされている.

連続ドプラ法 【34回】 ─────────────────── ★★

- ❯探触子（プローブ）は送信用・受信用で別々の素子をもつ.
- ❯距離分解能をもたない.
- ❯心臓弁の狭窄部位に生じる高速の血流の計測に適する.
- ❯得られた血流情報をもとに，圧較差や弁口面積などの2次元情報が計算によって求められる.
- ❯FFT法を用いる.

パルスドプラ法 【35回】 ─────────────────── ★★

- ❯1本の探触子で送受信を行う.
- ❯距離分解能をもつ.
- ❯計測可能な最大血流速度はパルス繰返し周波数に依存する.
- ❯血流の計測が行える.
- ❯測定可能な速度に限界がある.
- ❯最大血流量を超えるとエイリアシング（折り返し現象）が起こる.
- ❯特定部位の血流の情報を得るために，パルスドプラ法が利用される.
- ❯最大計測深度15cmの場合，5kHz程度となる.
- ❯サンプルボリューム内の速度成分を測定できる.
- ❯測定したい部位の血流によってパルス繰り返し周波数は調整する必要がある.
- ❯最大計測深度はパルスの繰り返し周波数が低いほど深い.

❷パルスドプラ法ではパルス繰り返し周波数が低いとき，速い血流は測定できなくなるが測定可能深度は深くなる．

❷FFT 法を用いる．

カラードプラ法

❷1 本の探触子で送受信を行う．

❷血流量の角度依存性が存在する．

❷血行動態に色を付けリアルタイムで表示（平均血流）する．

❷血流の向きを色で表示する（探触子に向かってくる血流：赤色，遠ざかる血流：青色）．

❷最大血流量を超えるとエイリアシング（折り返し現象）が起こる．

❷血流速度の 2 次元分布を測定できる．

❷流速成分やバラツキを表示できる．

❷周波数分析は自己相関法を用いる．

❷周波数分析精度は FFT 法に比べ劣る．

まとめ

連続波ドプラ法	パルスドプラ法	カラードプラ法
・送受信を別の素子で行う． ・一方向に連続的に送受信する． ・位置情報がない（流れの方向のみ）． ・高速な流れの測定に向く． ・B モードとリアルタイム表示不可． ・周波数分析は FFT 法を用いる．	・送受信は同一素子で行う． ・一方向に間欠的に送受信する． ・位置情報がある（流速情報）． ・低流速の測定に向く． ・B モードとリアルタイム表示可． ・周波数分析は FFT 法を用いる．	・送受信は別の素子で行う． ・多方向に間欠的に送受信する． ・位置情報がある（面の情報）． ・異常な流れの発見に向く． ・B モードとリアルタイム表示可． ・周波数分析は自己相関法を用いる．

○パワードプラ法 【37回】 ★★

❷血行動態に色を付けリアルタイムで表示（信号強度）する．

❷血流方向の色分けはできない．

❷遅い血流（臓器内部）や細い血管を流れる血流を鮮明にとらえられることができるほか，エイリアシングが出現しないなど優れた特徴がある．

❷血流方向がわからないなどの欠点もある．

○レーザドプラ法

❷血管の中に流れる赤血球にレーザ光を照射すると，ドプラ効果により周波数がシフトする．

❷レーザドプラ血流計は赤血球からの散乱光を利用している．

❷周波数シフトが血流速度に比例することを利用し，血流速度を測定する方法である．

○電磁血流計

❷電磁誘導を利用している．

○ **プレチスモグラフィ**
- ❷ 組織血流計測に用いられている.
- ❷ 上腕の静脈灌流を静脈圧にて停止させた状態にて，前腕の容積の変化をストレイン
  ゲージにより測定することにより，反応性の血流増加を評価する方法.

（4）心拍出量計

生体計測装置学
p.130～142
最新 生体計測装置学
p.125～138

○ **フィック法** ──────────────────────────── ★
- ❷ 動脈血，静脈血酸素含有量格差と酸素摂取量より心拍出量を算出.
  - ・酸素消費量を動静脈酸素含有量格差で除して求める.
- ❷ 他の測定法に比べて正確な心拍出量の測定が可能である.

○ **熱希釈法** 【34回】【36回】 ──────────────── ★★
- ❷ スワンガンツカテーテル（サーモダイリュージョンカテーテル）を用いる.
- ❷ スワンガンツカテーテルの側口から右心房へ0℃の薬液（5％ブドウ糖または生理食
  塩水など）10 mL を瞬時注入.
- ❷ 肺動脈での温度降下変化を連続測定し，熱希釈曲線の時間積分値より心拍出量を算出
  する.
- ❷ 繰り返し測定可能.

スワンガンツカテーテル
- ❷ カテーテルの挿入部位は，内頸静脈，鎖骨下静脈，大腿静脈.
- ❷ 肺動脈楔入圧は左心房圧を反映する.
- ❷ 肺動脈楔入圧計測時は先端のバルーンを膨らませる.

測定
- ❷ 中心静脈圧
- ❷ 肺動脈圧
- ❷ 肺動脈楔入圧
- ❷ 心拍出量
- ❷ 混合静脈血酸素飽和度

○ **色素希釈法** 【34回】 ──────────────────── ★★
- ❷ 熱希釈法よりも精度が高い.
- ❷ インドシアニングリーン（ICG）を静脈系から注入.
- ❷ 動脈系に現れる色素濃度曲線より心拍出量を算出（インドシアニングリーンの吸光度
  変化から心拍出量を算出する）.
- ❷ 2波長光利用
  - ・805 nm（Hb の光吸収の加算情報）
  - ・940 nm（Hb のみの光吸収情報）
- ❷ 繰り返し測定は残留 ICG の影響がある：連続測定はできない.

○ 血圧波形解析（pulse contour）【34回】 ★★

- ❯ 観血式血圧計より得られる動脈圧波形から心拍出量を推定する方法.
- ❯ 熱希釈で先に測定した後，圧波形と同期させ計測する.
- ❯ 圧トランスデューサと先端に温度センサの付いた熱希釈測定が可能な一体の動脈内留置カテーテルが必要.

○ 超音波断層法 【34回】 ★★

- ❯ 経食道プローブ，体表胸部プローブのドプラ法での大動脈血流速度と断層心エコー図などから大動脈断面積により心拍出量を算出する.
- ❯ 左室駆出率，左室内径短縮率などの詳細な心機能を計測できる.

臨床工学技士国家試験問題 **Check UP!**

（1）観血式血圧計・（2）非観血式血圧計

問題 1 □□□ 31A29

中心静脈圧の計測ができるのはどれか.

1. 観血式測定法
2. オシロメトリック法
3. トノメトリ法
4. 容積補償法
5. 聴診法

問題 3 □□□ 29A29

観血式血圧測定について正しいのはどれか.

1. チューブ内に気泡が混入すると平均血圧が下がる.
2. 血管内に留置したカテーテル内を蒸留水で満たす.
3. 加圧バッグの内圧は収縮期血圧に等しくする.
4. ゼロ校正の基準は中心静脈圧が使われる.
5. フラッシュデバイスは抗凝固薬の持続注入機能をもつ.

問題 2 □□□ 30P28

観血式血圧計測において測定ラインの血液の逆流が発生した．可能性のある原因はどれか.

a. カテーテルの先当たり
b. 血栓形成
c. 血圧測定ライン接続部分の緩み
d. 三方活栓の操作ミス
e. 加圧バッグの圧力不足
1. a, b, c　2. a, b, e　3. a, d, e
4. b, c, d　5. c, d, e

問題 4 □□□ 22A28

心拍ごとの血圧が測定可能なのはどれか.

a. 観血式血圧測定
b. オシロメトリック法
c. 聴診法
d. トノメトリ法
e. 容積補償法
1. a, b, c　2. a, b, e　3. a, d, e
4. b, c, d　5. c, d, e

問題 5 　□□□　　　　　　　　23A30

観血式血圧測定装置の構成要素はどれか.

 a．血圧トランスデューサ
 b．マンシェット
 c．水銀マノメータ
 d．超音波センサ
 e．カテーテル

1. a, b　2. a, e　3. b, c　4. c, d　5. d, e

問題 7 　□□□　　　　　　　　35P28

観血式血圧測定で，実際よりも最高血圧が低く，最低血圧が高く表示される原因となるのはどれか.

1. トランスデューサの位置が右心房よりも高い.
2. 加圧バッグの内圧が標準よりも高い.
3. 血液凝固によってカテーテル内腔が狭窄する.
4. ゼロ点調整が不良である.
5. 導管系が共振する.

問題 6 　□□□　　　　　　　　28A28

観血式血圧計の波形がひずむ原因はどれか.

 a．ゼロ点調整不良
 b．血圧トランスデューサの高さ不良
 c．カテーテル内での気泡混入
 d．カテーテル先端での血栓形成
 e．カテーテル先端での先当り

1. a, b, c　2. a, b, e　3. a, d, e
4. b, c, d　5. c, d, e

問題 8 　□□□　　　　　　　　34P28

オシロメトリック法による血圧測定で正しいのはどれか.

1. 最低血圧は測定できない.
2. 圧振動の周波数から算出する.
3. 不整脈は計測誤差の原因とならない.
4. 最高血圧以上では圧振動は検出されない.
5. 平均血圧付近で圧振動の振幅が最大となる.

（3）血流計

問題 9 　□□□　　　　　　　　35A29

超音波パルスドプラ血流計で正しいのはどれか.

1. 血流方向と同じ向きに超音波ビームを当てたときは測定できない.
2. 計測可能な最大血流速度はパルス繰り返し周波数に依存する.
3. 超音波の送信と受信を別々の素子で行う必要がある.
4. 超音波周波数が高いほど最大計測深度が深くなる.
5. 距離分解能を持たない血流計測法である.

問題 10 　□□□　　　　　　　　37A28

トランジットタイム型超音波血流計で誤っているのはどれか.

1. 血流に対して順方向および逆方向の超音波を照射する.
2. 流路全体は十分広い超音波音場に置かれる.
3. 赤血球で散乱された超音波を測定する.
4. 血流が速いほど伝播時間差は大きい.
5. 体外循環回路の流量計測に用いる.

(4) 心拍出量計

問題 11 □□□ 29P28

心拍出量測定法について正しいのはどれか.

1. 熱希釈法では約 0℃の注入液を用いる.
2. 色素希釈法ではオキシヘモグロビンの量を計算する.
3. フィック法では二酸化炭素産生量から計算する.
4. 超音波断層法では心房の容積から計算する.
5. 血圧波形解析法ではスワンガンツカテーテルを用いる.

問題 12 □□□ 31A30

酸素摂取量に基づく心拍出量計測法はどれか.

1. フィック法
2. 熱希釈法
3. 色素希釈法
4. 超音波断層法
5. 血圧波形解析法

問題 13 □□□ 25P21

スワン・ガンツカテーテルによって得られる指標はどれか.

a. 中心静脈圧
b. 肺動脈圧
c. 左室内圧
d. 大動脈弁上圧
e. 肺動脈楔入圧

1. a, b, c　2. a, b, e　3. a, d, e
4. b, c, d　5. c, d, e

問題 14 □□□ 34A29

心拍出量の計測ができないのはどれか.

1. 熱希釈法
2. 色素希釈法
3. 脈波伝搬速度法
4. 超音波断層法
5. 血圧波形解析法

問題 15 □□□ 36P28

熱希釈式肺動脈カテーテルで計測できないのはどれか.

1. 混合静脈血酸素飽和度
2. 左室収縮期圧
3. 中心静脈圧
4. 心拍出量
5. 肺動脈圧

〈解答〉問題 1-1, 問題 2-5, 問題 3-5, 問題 4-3, 問題 5-2, 問題 6-5, 問題 7-3, 問題 8-5, 問題 9-2, 問題 10-3, 問題 11-1, 問題 12-1, 問題 13-2, 問題 14-3, 問題 15-2

6. 呼吸系の計測

（1）呼吸計測と換気力学 【37回】 ★★

生体計測装置学
　p.152〜154
最新 生体計測装置学
　p.142〜150

○換気力学
- ❯流量は流速と断面積の積によって求められる.
- ❯1回分の呼気と吸気の測定流量を積分することで1回換気量（換気体積）が求まる.

○肺コンプライアンス
- ❯肺の圧力差を1cmH$_2$O変化させたときに，肺が何mL容積を変えるかを表す.
- ❯肺組織の弾性的な伸びやすさを示す.
- ❯ボリュームの変化/圧力の変化で計算される.

（2）呼吸計測装置

生体計測装置学
　p.143〜152
最新 生体計測装置学
　p.150〜156

○スパイロメトリ 【33回】【35回】【37回】 ★★★

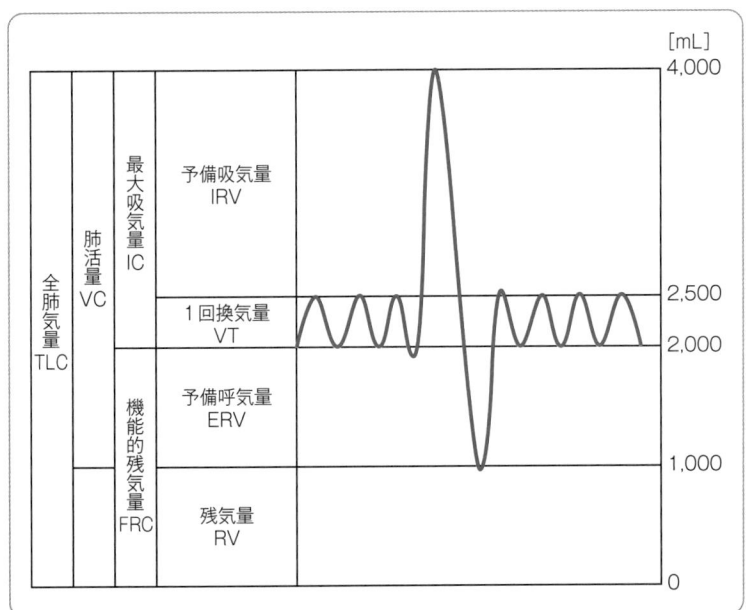

- ❯気量の変化を物理的に直接計測：ベネディクト・ロス型
  - ・水に浮かべた容器（ベル）に呼気を吹き込むとベルが上昇することにより体積を測定する.
- ❯肺活量は1回換気量＋予備吸気量＋予備呼気量で表される.
- ❯スパイロメータによって肺気量分画を測定する.
- ❯残気量はスパイロメータで測定できない.

肺活量（VC）

❷予測肺活量は以下の算出式を用いる．
❷日本呼吸器学会による予測式：必要な項目は，身長，年齢，性別である．
  ・男性：予測肺活量[mL]＝0.045×身長[cm]－0.023×年齢－2.258
  ・女性：予測肺活量[mL]＝0.032×身長[cm]－0.018×年齢－1.178
❷%VC＝（実測VC/予測VC）×100
❷%VC 80％未満は拘束性換気障害である．

○1秒率（FEV_1％）

❷FEV_1％＝[1秒量（FEV_1）／努力肺活量（FVC）]×100
❷1秒率70％未満は閉塞性換気障害である．

○フローボリューム曲線

❷フローボリューム曲線は最大吸気からの最大努力呼気を，縦軸に気流速度（フロー[L/s]），横軸に肺気量（ボリューム [L]）で示したものである．

○差圧式呼吸流量計（ニューモタコグラフ）【33回】【35回】【37回】── ★★★

❷多数の金属細管（フライシュ型）
  ・流路に細管を用いる．
  ・細管を抵抗として圧力差を測定している．
  ・ハーゲン・ポアズイユの式を利用する．
  ・気流は層流．
❷金属メッシュ（リリー型）
  ・小型であるが，気流は乱流．
  ・流量と圧差には比例関係が成り立たない．
❷空気が通過するときの細管前後の圧力差（差圧）から気流速を計算する．
❷圧力差の測定には差圧トランスデューサを用いる．

○熱線型呼吸流量計 【37回】── ★★

❷流路に置かれた約400℃の白金線が，気流に当たることで熱が奪われ温度が下がることを利用して流量を求める．
❷気量をポテンショメータで電気信号に変換して計測し，さらに微分して気流速度を求め，流量・流速曲線を描かせる型がある．
❷流速を積分して流量を算出する．
❷熱線には直径数〜数十 μm の白金線あるいは，タングステン細線が用いられる．

○超音波流量計

❷気道・気管内の気流に斜めに上流から下流，下流から上流の2つ方向で超音波を送受信する．
❷気流に沿った向きと逆らう向きの間の超音波信号の伝搬時間差から流速を求め，流速と気道などの断面積の積から流量を求める．

○ガス希釈法

❷肺機能検査として He ガス希釈法を用いる機能的残気量測定がある．

（3）呼吸モニタ

○インピーダンス式呼吸モニタ

- ❯患者監視装置において呼吸数をモニタする.
- ❯皮膚に貼った電極から微弱な高周波電流（周波数 20〜100 kHz, 100 μA 以下の交流）を体内に流す.
- ❯体表にセットした電極から電流を検出して生体の電気インピーダンスの変化を測定し, 呼吸, 心拍出量などを計測する.
- ❯吸気時には肺内の空気が増加するため, 胸郭の電気インピーダンスは増加する.
- ❯心電モニタ用電極と兼用し, 心電図と呼吸を同時に計測することが可能である.

○パルスオキシメータ 【33回】【36回】 ★★

- ❯低酸素血症の発見に役立つ.
- ❯呼吸状態のモニタとして用いられる.
- ❯生体は光に対して強い散乱体である.
- ❯ランベルト・ベール（Lambert-Beer）の法則が用いられる.
  - ・ランベルト・ベールの法則とは物質による光の吸光を定式化したもの.
  - ・吸光度は吸光係数（物質固有の定数, 波長に依存）, 色素の濃度, 光路長に比例する.
  - ・モル吸光係数は物質によって異なる.
  - ・透過光の強度は光路長に対して指数関数的に減少する.
- ❯動脈血ヘモグロビンの酸素飽和度を反映している.
- ❯動脈血酸素分圧（PaO_2）が 100 mmHg のとき動脈血酸素飽和度（SaO_2）は 98％.
- ❯2 種類の波長の光に対する吸光度を測定する.
- ❯オキシヘモグロビンは赤外光（900〜940 nm）を, デオキシヘモグロビンは赤色光（660 nm）をよく吸収する.
  - ・デオキシヘモグロビンの赤色光の吸収係数はオキシヘモグロビンよりも大きい.
- ❯発光には LED, 受光にはフォトダイオードが用いられる.
- ❯赤色光と赤外光を交互に発光させてどちらの透過光か判別しながら測定する.
- ❯LED を 1 秒間に 100 回程度点滅させる.
- ❯脈波の脈動成分を利用している.
- ❯容積脈波法：拍動成分のみを抽出することで, 動脈だけの酸素飽和度を測定.
  - ・動脈血の血流量を測定することはできない.
- ❯プローブは長時間同じ場所に装着しない：低温熱傷や皮膚損傷が生じる可能性がある.
- ❯プローブには指先用のほか, 鼻用, 新生児用など様々な形状がある.
- ❯測定に絶対量を必要としないので校正は必要ない.
- ❯同じ酸素分圧でも
  - ・高体温では酸素飽和度が低くなる.
  - ・アシドーシスでは酸素飽和度が低くなる.

〈診断に有用〉
- ❯頻脈
- ❯低酸素血症

〈測定に影響を及ぼす要因〉
- ❯動脈血の脈波（吸光度の変動）が出にくい条件では計測できない.
- ❯一酸化炭素中毒患者

- 🔊 異常ヘモグロビン
- 🔊 受光部に強い光が入る場合
- 🔊 患者の体動
- 🔊 脈拍の減少（末梢循環障害，動脈の閉塞や圧迫，心停止時など）
- 🔊 検査色素（インドシニアングリーン，メチレンブルーなど）
- 🔊 マニキュア
- 🔊 電磁波

○ カプノメータ 【34回】【37回】 ★★

- 🔊 呼気終末二酸化炭素濃度をモニタする装置である.
- 🔊 炭酸ガスは波長 4.3 μm の赤外線をよく吸収する.
- 🔊 赤外線の吸収量からガス濃度を求める.
- 🔊 亜酸化窒素を併用する際には補正が必要である（亜酸化窒素も赤外線を吸収するため）.
- 🔊 ゼロ点校正が必要である.
- 🔊 長時間の呼吸管理に用いる.
- 🔊 サーモパイルは検出素子に使える.
- 🔊 動脈血二酸化炭素分圧と相関する.
- 🔊 サイドストリーム方式では測定の遅れが生じる.
- 🔊 サイドストリーム方式では持続的にサンプルガスを吸引する.

メインストリーム方式とサイドストリーム方式の違い

		利点	欠点
メインストリーム方式		・応答が速い ・換気量への影響がない ・長時間測定でも安定	・死腔が大きい ・センサが重い ・センサの汚染が測定に影響する ・気道抵抗が生じる
サイドストリーム方式		・死腔がない ・非挿管患者にも使用可能 ・センサを回路に組み込む必要なし ・気道抵抗がない	・サンプリングチューブが水分や痰で閉塞しやすい ・応答が遅い（測定の遅れが生じる） ・換気量，回路内圧に影響を与える

測定に影響を及ぼす要因

呼気中の $P_{ET}CO_2$ 上昇	呼気中の $P_{ET}CO_2$ 低下
肺胞換気量の低下	肺胞換気量の増加
循環血漿量の減少	循環血漿量の増加
呼吸機能の低下	心停止
閉塞性肺疾患	肺塞栓症（一過性低下）
高体温	低体温
シバリング	食道挿管
悪性高熱	呼吸回路の外れ，リーク
疼痛	気管チューブの屈曲やカフ漏れ

臨床工学技士国家試験問題　Check UP!

（2）呼吸計測装置

問題 1　□□□　23P29

呼吸流量計で計測した流量［mL/s］から一回換気量［mL］を求めるのに必要な処理はどれか．

1. 微分
2. 積分
3. FET
4. 加算平均
5. 移動平均

問題 3　□□□　29A24

呼吸機能検査について正しいのはどれか．

a. スパイロメトリーでは残気量は測定できない．
b. 肺活量は1回換気量＋予備吸気量＋予備呼気量で表される．
c. 1秒率の低下は拘束性換気障害を示す．
d. 肺拡散能の測定には二酸化炭素を用いる．
e. フローボリューム曲線の横軸は時間である．

1. a, b　2. a, e　3. b, c　4. c, d　5. d, e

問題 2　□□□　24A30

呼吸機能の計測で正しいのはどれか．

a. 流量は流速と断面積との積によって求められる．
b. フライシュ型流量計は細管を抵抗として圧力差を測定している．
c. 肺コンプライアンスは体積と流量との積によって求められる．
d. 圧力センサにはホール素子を用いる．
e. 熱線型呼吸流量計では白金線の抵抗変化を用いる．

1. a, b, c　2. a, b, e　3. a, d, e
4. b, c, d　5. c, d, e

問題 4　□□□　35P29

差圧方式の呼吸計測装置はどれか．

1. ベネディクトロス型スパイロメータ
2. フライシュ型ニューモタコグラフ
3. 熱線式流量計
4. 超音波流量計
5. タービン型流量計

問題 5	□□□	37P24

図のスパイログラムで肺活量はどれか.

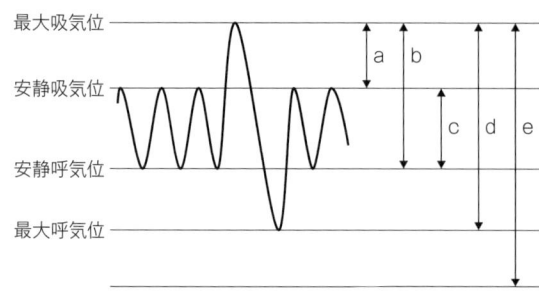

1. a　2. b　3. c　4. d　5. e

問題 6	□□□	37P29

呼吸機能の計測で正しいのはどれか.

a．微小圧力用センサにはホール素子を用いる.
b．コンプライアンスは体積と圧力との積によって求められる.
c．流量は流速と断面積との積によって求められる.
d．フライシュ型流量計は細管を抵抗として圧力差を測定している.
e．熱線型呼吸流量計では白金線抵抗を用いる.

1. a, b, c　2. a, b, e　3. a, d, e
4. b, c, d　5. c, d, e

(3) 呼吸モニタ

問題 7	□□□	31P20

パルスオキシメータによるモニタリングについて正しいのはどれか.

a．同じ酸素分圧でも高体温では酸素飽和度が低くなる.
b．同じ酸素分圧でもアシドーシスでは酸素飽和度が低くなる.
c．インジゴブルーなどの臨床検査用の色素は測定値に影響しない.
d．一酸化炭素ヘモグロビン（CO-Hb）の存在は測定値に影響しない.
e．末梢循環不全で拍動が検知不良の場合，測定誤差が生じる.

1. a, b, c　2. a, b, e　3. a, d, e
4. b, c, d　5. c, d, e

問題 9	□□□	26A30

正しいのはどれか.

a．生体内では光散乱は少ない.
b．生体内の光吸収は主にヘモグロビンと皮膚のメラニンによる.
c．光によるヘモグロビンの酸素飽和度測定には複数の波長が用いられる.
d．光電式脈波計によって血流量の波形が得られる.
e．パルスオキシメータは動脈の血流量を測定できる.

1. a, b　2. a, e　3. b, c　4. c, d　5. d, e

問題 8	□□□	26A22

動脈血酸素飽和度について正しいのはどれか.

a．動脈血中の酸素の濃度を示す.
b．動脈血中の酸素の分圧を示す.
c．酸素と結合しているヘモグロビンの割合を示す.
d．パルスオキシメトリーは近赤外光を利用している.
e．酸素分圧が 200 mmHg では酸素飽和度は 100% を超える.

1. a, b　2. a, e　3. b, c　4. c, d　5. d, e

問題 10	□□□	27A29

インピーダンス式呼吸モニタについて誤っているのはどれか.

1. 数十 kHz の交流信号を用いる.
2. 患者監視装置において呼吸数をモニタする.
3. 胸部体表面に貼った電極間の電気インピーダンスを計測する.
4. 吸気時には電気インピーダンスが減少する.
5. 呼吸モニタ用電極は心電図モニタ用電極と兼用できる.

問題 11 □□□ 36A29

パルスオキシメータの測定誤差の要因とならないのはどれか.

1. 患者の体動
2. 大気圧の低下
3. 末梢循環不全
4. 異常ヘモグロビン
5. 診断用色素の投与

問題 14 □□□ 36P30

ランベルト・ベールの法則が成立する吸光度測定で正しいのはどれか.

a. 吸光度は透過率に比例する.
b. 吸光度は光路長に反比例する.
c. 吸光度は－1～1の範囲の値で表す.
d. モル吸光係数は物質によって異なる.
e. 透過光の強度は光路長に対して指数関数的に減少する.
1. a, b　2. a, e　3. b, c　4. c, d　5. d, e

問題 12 □□□ 28A30

赤外線を利用した呼吸関連計測装置はどれか.

a. スパイロメータ
b. ニューモタコメータ
c. インピーダンスプレチスモグラフ
d. パルスオキシメータ
e. カプノメータ
1. a, b　2. a, e　3. b, c　4. c, d　5. d, e

問題 15 □□□ 37A29

カプノメータについて正しいのはどれか.

1. 赤色光と近赤外光の2波長を用いて測定する.
2. 呼気中の酸素濃度を測定する.
3. メインストリーム方式はサイドストリーム方式よりも死腔が小さい.
4. メインストリーム方式にはウォータートラップが必要である.
5. サイドストリーム方式では持続的にサンプルガスを吸引する.

問題 13 □□□ 34P29

カプノメータについて正しいのはどれか.

a. サイドストリーム型では測定に時間的な遅れが生じる.
b. 脱酸素化ヘモグロビンの吸光特性を利用する.
c. 窒素ガス濃度は誤差の原因となる.
d. ゼロ点校正が不要である.
e. 二酸化炭素ガスは $4.3\,\mu m$ に光吸収のピークをもつ.
1. a, b　2. a, e　3. b, c　4. c, d　5. d, e

〈解答〉問題1-2，問題2-2，問題3-1，問題4-2，問題5-4，問題6-5，問題7-2，問題8-4，問題9-3，問題10-4，問題11-2，問題12-5，問題13-2，問題14-5，問題15-5

7. ガス分析計測

（1）血液ガスの計測

○pH 計測 【33 回】【35 回】 ★★

- ❱ ガラス電極を用いる.
- ❱ ガラス膜内外間の電位差を計測する.
- ❱ ポテンショメトリック法（電位差測定法）に分類される.
- ❱ 水素イオン濃度により生じた電位差を測定する.
- ❱ ガラス膜外側の液体は KCl 塩橋を介して比較電極（カロメル電極）に接続されている.

○O_2 計測

酸素濃度（分圧）【35 回】 ★★

- ❱ クラーク電極（ポーラログラフィ）を用いる.
- ❱ アンペロメトリック法（電流測定法）に分類される.
- ❱ 電極間に直流電圧を印加して電流を測定する.
- ❱ 陽極：銀–塩化銀電極（Ag-AgCl 電極）
- ❱ 陰極：白金電極
- ❱ 酸素透過膜：ポリプロピレン膜，ポリエチレン膜，テフロン膜など
- ❱ Ag-AgCl 電極は分極電圧が小さい.

ガルバニックセル式

- ❱ カソード（白金）とアノード（銀–塩化銀）で一対の電極を構成する.
- ❱ 電解液（リン酸緩衝液）を満たした溶液内に置き，ポリプロピレンやテフロンなどのガス透過膜を隔てて外部と遮断する.
- ❱ ガス透過膜を透過した酸素濃度（分圧）に比例して拡散限界電流が流れ，これを測定することにより酸素濃度（分圧）を求める（アンペロメトリック法）.

○CO_2 計測 【35 回】 ★★

二酸化炭素分圧

- ❱ セバリングハウス電極を用いる.
- ❱ ポテンショメトリック法に分類される.
- ❱ CO_2 透過性をもつテフロン膜を利用して計測する.
- ❱ 構造はテフロン膜を被った pH 電極である.
- ❱ pH を測定することで間接的に PCO_2 が計算できる.

○グルコースセンサ

- ❱ グルコースオキシダーゼなどの酵素を含む酵素固定膜をもつ酵素センサで計測する.
- ❱ グルコースはグルコースオキシダーゼの作用により，酸素を消費してグルコノラクトンと過酸化水素を生成する.
- ❱ 消費された酸素の量か，過酸化水素の増加を測定し，グルコースの濃度を求める.

○ 経皮的血液ガス分析装置　【34回】【35回】【36回】【37回】 ────── ★★★

- ❯ 動脈血を採取せずに，動脈血の酸素分圧や二酸化炭素分圧を測定できる．
- ❯ 角層（角質層）を透過してくる酸素と二酸化炭素を計測する．
- ❯ 皮膚での代謝により二酸化炭素が産生されるため，経皮的に測定した $PtcCO_2$ は動脈血の $PaCO_2$ よりも高くなる．
- ❯ 加温が不十分な場合や酸素が拡散しにくい場合では，経皮的に測定した $PtcO_2$ は動脈血の PaO_2 よりも低くなる．
- ❯ 酸素分圧はクラーク電極，二酸化炭素分圧はセバリングハウス電極を応用している．
- ❯ 電極はガス透過膜を介して皮膚と接触する．
- ❯ 測定時は皮膚を 40〜43℃に加温する：皮下の血流量を増加させる．
- ❯ 非侵襲的な計測方法．
- ❯ 新生児で用いられる．
- ❯ 長時間の装着では熱傷を生じる可能性がある．

○ ISFET

- ❯ イオン感応性電界効果型トランジスタ（ion sensitive field effect transistor；ISFET）
- ❯ ゲート絶縁膜を直接検体に浸すと，溶液–絶縁膜間に pH に比例したイオン電流が発生し測定ができる．
- ❯ ゲート面に種々の感応膜を一体化することで，イオンセンサ（pH，Na，K）やガスセンサ（O_2，CO_2）として使用できる．
- ❯ ガスセンサなどに酵素，微生物などを固定することで，グルコース，尿素，乳酸，アミノ酸などの測定ができる．

問題 1　□□□　28P29

酸素ガスの分析計測手段はどれか.

　a. ガルバニックセル
　b. 熱電対
　c. サーミスタ
　d. セバリングハウス電極
　e. クラーク電極

　1. a, b　2. a, e　3. b, c　4. c, d　5. d, e

問題 4　□□□　36A30

経皮的血液ガス分析について正しいのはどれか.

　1. 皮下の血流増加のために加温する.
　2. 計測には脈波信号が必要である.
　3. 赤外線の吸収を計測している.
　4. 新生児には使用できない.
　5. 侵襲的な計測方法である.

問題 2　□□□　34A30

経皮的血液ガス分圧測定装置について正しいのはどれか.

　1. 経皮的に測定した $PtcCO_2$ は動脈血の $PaCO_2$ よりも低くなる.
　2. 経皮的に測定した $PtcO_2$ は動脈血の PaO_2 よりも高くなる.
　3. 計測皮膚面を 42～44℃に加温する.
　4. 計測には脈波信号が必要である.
　5. 新生児には使用できない.

問題 5　□□□　37A30

経皮的血液ガス分析装置について誤っているのはどれか.

　1. 新生児のモニタリングに用いられる.
　2. 皮膚表面を 43℃程度に加温する.
　3. 経皮的に測定された $PtcO_2$ は PaO_2 よりも高値を示す.
　4. 電極はガス透過膜を介して皮膚と接触する.
　5. 血液から皮膚表面に拡散するガスを測定する.

問題 3　□□□　35A30

血液ガスの計測について誤っている組合せはどれか.

　1. pH ————————————ガラス電極
　2. 酸素分圧————————クラーク電極
　3. 二酸化炭素分圧————セバリングハウス電極
　4. 酸素飽和度（SpO_2）——赤色光および赤外光の吸光度
　5. 経皮的二酸化炭素分圧——赤外光の吸光度

〈解答〉問題1-2，問題2-3，問題3-5，問題4-1，問題5-3

8. 体 温 計 測

（1）体表面温度計測

生体計測装置学
　p.174〜186
最新 生体計測装置学
　p.176〜188

◉ **体表面温度計**

予測電子体温計 【35回】【37回】 ★★

- ❯温度上昇曲線で体温を推定している.
- ❯電子体温計は測温体としてサーミスタを用いる.
- ❯予測式電子体温計は水銀体温計に比べて短時間で測定できる.
- ❯婦人用は一般用よりも精度が高い（4桁で表示）.

サーミスタ ★

- ❯体温を測定する電子体温計に用いられている.
- ❯温度変化により電気抵抗が変化する半導体素子.
- ❯温度が高くなると抵抗が減少するNTC型：温度変化に対する抵抗変化が大きい特徴があり，遷移金属（Mn, Ni, Co）の酸化物を焼結させたものが多い.
- ❯形状はビード型がよく使われる.

ダイオード

- ❯温度上昇で抵抗が減少することを利用している.

サーモグラフィ 【34回】 ★★

- ❯ステファン・ボルツマン（Stefan-Boltzmann）の法則を用いる.
- ❯体表面から出ている赤外線放射エネルギー（中心波長：約10 μm）（熱放射）を検出し，温度に変換して温度分布を画像表示する.
- ❯温度分解能は約0.1℃程度.
- ❯1フレームの計測時間は1/30〜1/60秒.
- ❯センサ：
  - ・集電型遠赤外線検出器（集電効果を利用：PZTなど）
  - ・量子型赤外線検出器（半導体素子の光電効果を利用）
  - ・InSb（インジウムアンチモン）
  - ・HgCdTe（テルル化水銀カドミウム）

熱電対

- ❯熱起電力を発生させる目的で2種類の導体の一端を電気的に接続したもの.
- ❯熱電対の一方を基準点（基準接点），他方を測定点（測温接点）として温度差を与える.
- ❯ゼーベック（Seebeck）効果により起電力が発生する.
- ❯皮膚温度計として使用できる.

（2）深部体温計測

深部体温計 【37回】 ————————————————————— ★★

- ❷熱流補償法を用いて生体深部温を測定する.
- ❷深部体温計は2個のサーミスタとヒータからなっており，2個の温度センサの温度差としてプローブを通る熱量を検出する.
- ❷2個の温度センサが等温となるようにヒータ電流を制御する.

サーモパイル 【33回】【36回】【37回】 ————————————— ★★★

- ❷鼓膜温を計測する耳用赤外線体温計（鼓膜温度計）に用いられる.
- ❷熱電対の原理を応用した赤外線センサ.
- ❷熱放射の赤外線を非接触計測する.
- ❷鼓膜から赤外線を感知する.
- ❷センサの冷却は不要.
- ❷測定時間は1〜3秒（連続測定に適さない）.
- ❷鼓膜温は脳を灌流する内頸動脈血液温をよく反映している.
- ❷外耳道に炎症があると測定値に影響を与える.
- ❷挿入する角度により測定値がばらつく.
- ❷鼓膜温は腋窩温よりも高い.

（3）測定原理と計測機器　まとめ

測定原理	計測機器
ゼーベック効果	熱電対温度計
熱流補償法	深部体温計
サーモパイル（焦電効果）	鼓膜温度計
赤外線放射エネルギー ステファン・ボルツマンの法則	サーモグラフ（光導電型センサ）
サーミスタ（温度-抵抗変化）	電子体温計

問題1　□□□　31P29

体温計測について誤っているのはどれか.

1. 電子体温計は測温体としてサーミスタを用いる.
2. 予測式電子体温計は温度上昇曲線で体温を推定している.
3. 深部体温計は熱流補償法を用いて核心温を測定する.
4. 耳用赤外線体温計には量子型検出器が使われる.
5. サーモグラフは体表面の赤外線放射分布を画像化したものである.

問題4　□□□　35P30

家庭用電子体温計について正しいのはどれか.

1. 深部体温の計測に適している.
2. 婦人用は一般用よりも精度が高い.
3. 温度センサに CdSe を用いる.
4. 予測式より実測式の方が測定時間が短い.
5. ヒータを内蔵している.

問題2　□□□　28A31

体温計測に用いるのはどれか.

a. ホール効果
b. マイスナー効果
c. ジョセフソン素子
d. サーモパイル
e. サーミスタ

1. a, b　2. a, e　3. b, c　4. c, d　5. d, e

問題5　□□□　36P29

耳用赤外線体温計による体温計測について誤っているのはどれか.

1. 鼓膜に赤外線を照射する.
2. 検出器にサーモパイルが使用されている.
3. 1秒程度で計測できる.
4. 挿入する角度により測定値がばらつく.
5. 鼓膜温は腋窩温よりも高い.

問題3　□□□　34P30

医用サーモグラフについて正しいのはどれか.

a. 赤外線を照射して体温を計測する.
b. 光量子型検出器は赤外線検出器として用いられている.
c. ステファン・ボルツマンの法則から温度を求めている.
d. 深部の温度分布がわかる.
e. 温度分解能は1℃である.

1. a, b　2. a, e　3. b, c　4. c, d　5. d, e

問題6　□□□　37P30

体温計測について正しいのはどれか.

1. 婦人用電子体温計は4桁で表示する.
2. 深部体温計では熱流補償法が用いられる.
3. 医用サーモグラフィは近赤外線を利用している.
4. 予測式電子体温計にはサーモパイルが使用される.
5. 耳用赤外線体温計は体温の連続測定に適している.

1. a, b　2. a, e　3. b, c　4. c, d　5. d, e

〈解答〉問題1-4，問題2-5，問題3-3，問題4-2，問題5-1，問題6-1

III. 医用画像計測

1. 超音波画像計測

（1）超音波

○生体内組織の固有音響インピーダンス特性 【34回】【36回】 ── ★★

	音速 [m/s]	音響インピーダンス [×10^6 kg/m^2・s]	吸収係数 [dB/cm] at 1 MHz
骨	4,080	7.80	13
筋肉	1,585	1.70	1.3〜3.3
血液	1,570	1.62	0.2
腎臓	1,560	1.62	0.9
脳	1,540	1.60	0.2
水	1,480	1.52	0.002
脂肪	1,450	1.35	0.8
空気	340	0.0004	12

❱超音波断層像は組織中の音響インピーダンスの異なる境面からの反射を利用している.

❱生体軟部組織の音速は，組織よって若干異なるが，ほぼ水と同じで1,500 m/sである.

❱音響インピーダンスは，筋組織＞水＞脂肪組織.

（2）超音波診断装置

○超音波診断装置の特徴 【34回】【36回】【37回】 ── ★★★

周波数	2〜20 MHz
空間分解能	0.5〜1 mm（周波数による）
測定時間	実時間（リアルタイム）の撮影が可能
侵襲性	低侵襲で，繰り返し検査が可能
装置	携帯性に優れる 探触子の形状の工夫により高速化・小型が可能

❱超音波断層像は反射エコーの時間差を利用して描出する.

❱超音波の周波数が高いほど距離分解能が良い.

❱超音波の周波数が低いほど体内での減衰は小さい.

❱一般に指向性が鋭いほど方位分解能は高い.

❱探触子の種類や形状によって描出範囲が限られる.

❱空気層のある臓器（肺，腸など）や脂肪が多い場合などは，臓器の描出がしにくい.

❱放射線による被曝の危険性はない.

❱肋間からの胸部エコーや経食道エコーを利用することで，心室の壁厚を計測できる.

❱血管内の画像が得られる.

❱実時間（リアルタイム）の撮影が可能である.

❱造影剤としてマイクロバブルが用いられる.

○ 超音波振動子

　❷電圧⇔音に相互に変換する圧電効果をもつ．

　❷圧電素子が利用されている．

○ 超音波ビームの走査法

各種走査方式の比較 【37回】 ――――――――――――――――――― ★★

	走査形状	用途	特徴
リニア走査	ビーム直線状に走査	末梢血管，表在臓器 乳腺検査 甲状腺検査	・接地面は広く，探触子付近で広い視野． ・近距離で広視野が得られる． ・小型形状に作成しやすい．
セクタ走査	ビームを扇形に走査	循環器一般検査	・接地面が小さい． ・浅い視野は狭いが深い視野を広く観察できる． ・肋間を通し肝ドーム走査がしやすい． ・圧電振動子を回転させ 90°程度の扇状の範囲を走査する．
コンベックス走査	ビームを円弧状に走査	腹部一般検査 産科の検査	・深部で広視野が得られる． ・接地面が広く，探触子付近で広い視野． ・圧迫走査がしやすい．
ラジアル走査	ビームを円周360°に走査	経食道消化器検査 経直腸前立腺検査 超音波内視鏡による胃がんの診断	・体内に探触子を挿入して体腔内から全周視野を得る．

　❷超音波ビーム幅が狭いほど方位分解能が高くなる．

　❷腹部の画像描出は，リニア走査またはコンベックス走査が適している．

○ ドプラ法 【34回】【35回】 ――――――――――――――――――――― ★★

　❷心腔内や血管を流れる血流速度情報を得ることができる．

　❷得られた血流情報をもとに，圧格差や弁口面積などの2次情報が計算によって求められる．

　❷狭窄部位の高血流速度の測定には連続波ドプラ法を用いて測定する．

　❷胎児心拍数の測定に用いる．

　※超音波ドプラ血流計の詳細は，「II-5．循環系の計測」を参照．

○ 高調波 【32回】 ――――――――――――――――――――――――― ★★

　❷組織性状の画像化には高調波（ティッシュハーモニック法）が有用である．

　❷ティッシュハーモニック法によってパルス伝搬の際に組織の非線形効果により高調波を生ずることを利用し，組織性状の画像描出が明瞭になる．

A モード	・1本のビームを発生させた場合に，距離と強度の関係を表示する. ・反射波の強さを振幅として縦軸上に，探触子からの距離を横軸上に描出する表示法.
B モード	・B モードエコー法で臓器の形状が得られる. ・生体断面をリアルタイムで観察するのに適している. ・パルス波が用いられる. ・発生した超音波が臓器およびその鏡界で反射し，探触子に返ってきた強さにより，輝度を変化させて表示する. ・反射波の強さを画像化する. ・超音波ビームを走査して行う測定法. ・超音波ビーム上の各点の情報が得られる. ・1つの走査線だけでなく，プローブの方向にそって連続的に行うことで，断層像を作成できる. ・線上の超音波ビームを機械的，電子的にある角度内で走査し，心臓の動きを探る.
M モード	・動きのある臓器の撮影に用いる. ・線状の超音波ビームを入射し，縦軸は胸壁からの距離，横軸は時間とする. ・壁や心室の大きさを計測する目的や，左室の駆出率などの心機能の評価に有用である. ・弁の動きを描画できる.

○**パルス波** ────────────────────────────────────── ★

❷B モード画像描出にはパルス波が用いられる.

❷断層描出のために，超音波パルス放射と反射時刻の差から深さ（距離）の情報を算出する.

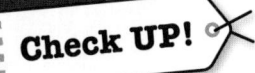

問題 1 □□□ 31A32

超音波を用いた画像計測について誤っているのはどれか.

1. 動画の撮影が可能である.
2. M モードは弁の動きを描写できる.
3. A モードでは断像が得られる.
4. コンベックス走査はリニア走査より深部視野が広い.
5. 血流の画像が得られる.

問題 4 □□□ 28A32

超音波画像計測について正しいのはどれか.

1. 生体軟部組織での音速は約 10 km/s である.
2. 軟組織よりも硬組織の方が音速は速い.
3. 動きのある臓器の撮影には不適である.
4. 約 25 kHz の音波を使用する.
5. ドプラ法で臓器の形状が得られる.

問題 2 □□□ 30A31

X 線 CT 検査と比較して超音波検査の利点で正しいのはどれか.

a. 画質がよい.
b. 視野が広い.
c. 肺内病変の評価に向いている.
d. 実時間画像が得られる.
e. 携帯性に優れている.

1. a, b　2. a, e　3. b, c　4. c, d　5. d, e

問題 5 □□□ 34A31

超音波画像計測について正しいのはどれか.

a. 脂肪より肝臓の方が音響インピーダンスが大きい.
b. 高い周波数を用いることで深部臓器の観察が可能になる.
c. A モードでは断層像が得られる.
d. 連続波ドプラ計測では血流の速度分布が得られる.
e. 造影剤としてマイクロバブルが用いられている.

1. a, b　2. a, e　3. b, c　4. c, d　5. d, e

問題 3 □□□ 29P30

超音波診断装置について正しいのはどれか.

a. 被曝に伴う侵襲性がある.
b. 全身撮影が可能である.
c. 心室の壁厚を測定できる.
d. 血管内の画像が得られる.
e. 実時間の撮影が可能である.

1. a, b, c　2. a, b, e　3. a, d, e
4. b, c, d　5. c, d, e

問題 6 □□□ 37A31

超音波画像計測について正しいのはどれか.

a. B モードでは反射強度が弱いほど明るく表示される.
b. 超音波ビームの幅が広いほど方位分解能が優れる.
c. パワードプラ法は毛細血管の血流観察に用いられる.
d. セクタ走査は心臓の観察に用いられる.
e. 100 kHz 程度の超音波を用いる.

1. a, b　2. a, e　3. b, c　4. c, d　5. d, e

〈解答〉問題 1-3, 問題 2-5, 問題 3-5, 問題 4-2, 問題 5-2, 問題 6-4

2. X線画像計測

（1）透過像計測

○概要 ─────────────────────────────────────── ★
- ❯体内に吸収されたX線の分布図ともいえる.
- ❯X線吸収の少ない軟部組織では,コントラストがつきにくく,はっきりとした像を得るのが困難である.
- ❯患者の体動はアーチファクトの原因となる.
- ❯造影剤を使って血管を画像化できる.
- ❯X線による心臓などの動きも撮影可能である.

○単純X線撮影法
- ❯臓器を透過したX線を撮影する.
- ❯X線を通過させた組織ではその部分が黒く写り,X線を阻止(吸収)した組織ではその部分が白く写る.
- ❯造影剤はX線に対する透過性が低い.
- ❯動きがある臓器には短時間撮影を行う.
- ❯高密度の器官はX線を吸収して陰影を作る.
- ❯体動の影響により画像が不鮮明となる.

○DSA（digital subtraction angiography：ディジタルサブトラクション血管造影撮影法）【35回】 ──────────────────────── ★★
- ❯一般的には,時間差分法が用いられる.
- ❯DSAにより造影された血管は黒く描出される.
- ❯コントラスト分解能に優れる.
- ❯空間分解能は劣る.
- ❯リアルタイム血管像を表示することができる.
- ❯時間差分法
  - ・画像の造影剤濃度の経時的変化から造影剤を描出する.
- ❯エネルギー差分法
  - ・造影剤と人体のX線エネルギー依存性の違いを用いて造影剤を描出する.

（2）X線CT（computed tomography）

○概要 【33回】【35回】【36回】【37回】 ──────────────── ★★★
- ❯各組織のX線吸収係数を画像化している.
- ❯生体に影響を及ぼすX線が用いられるため,侵襲的な検査法である.
- ❯患者が動くと像が不鮮明になる.
- ❯手術ナビゲーションに用いられる.
- ❯放射線防護対策が必要である.
- ❯臓器の立体的な構造を画像化する.
- ❯X線の減衰は元素の種類によって異なる.

❷シンチレーション検出器が用いられる.

❷複数の X 線検出器を使用する.

　・ヘリカル CT，マルチスライス CT では検出器は多層で構成される.

❷ヘリカル方式は単一スキャン方式よりも体積あたりの撮影時間が短い.

❷最新の撮像方式であるヘリカルスキャン方式では全身の画像を秒単位で撮像できる.

❷リアルタイム動画の撮影はできない.

❷スライス圧は 0.5〜3 mm 程度である.

❷空間分解能は 0.3〜1 mm 程度である.

❷一般に X 線フィルムよりも画像のコントラストが良い.

❷乳がんの検査に用いられる.

❷脳出血の急性期では，血腫は高吸収領域となるため白く描出される.

❷ヨード系の造影剤を用いた血管造影は X 線 CT でも行われており，血管走行の観察や虚血部位，出血の部位の特定などに利用される.

❷造影剤を使用する目的は画像のコントラストを高めるためである.

❷造影剤として，血管系のヨード造影剤，消化管（大腸）系の硫酸バリウムなどが使用される（周囲組織より X 線吸収が大きい）.

❷画像再構成法として逆投影法がある.

❷デジタル X 線画像は DICOM 形式で保存される.

◯ X 線吸収係数

❷X 線の吸収係数は，元素の種類と密度で決まる.

❷骨の X 線吸収係数は水の約 2 倍である.

❷空気は X 線をほとんど減弱しないため，X 線吸収係数はほぼゼロである.

◯ CT 値　【35 回】【37 回】 ————————————————————— ★★

❷CT 値は X 線の吸収係数の相対値である.

❷水の X 線減弱係数を CT 値の 0 としている（空気を −1000 HU とする）.

　・肺組織の CT 値は水より小さい.

　・肺組織は空気（CT 値：−1000）を多く含むので，CT 値は水（CT 値：0）よりずっと小さく負の値となる.

　・石灰化（400〜）＞凝血血液（〜90）＞筋肉（50）＞水（0）＞脂肪（−100）＞空気（−1000）

◯ 装置別空間分解能

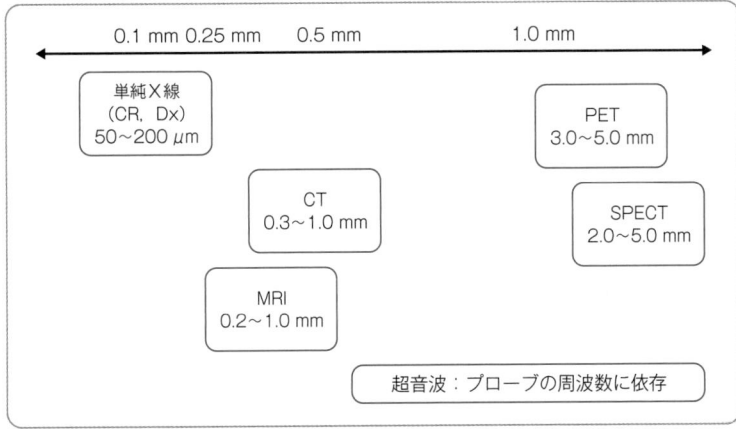

問題 1 ☐☐☐ 31P30

X 線を使用した医用画像について正しいのはどれか.

- a．X 線に対する臓器の反射率を画像化する.
- b．X 線 CT の空間分解能は 0.5～1 mm 程度である.
- c．X 線 CT は臓器の立体構造を画像化できる.
- d．造影剤は X 線画像のコントラストを増強する.
- e．体表面に近い臓器の画像化に適している.
1．a，b，c　2．a，b，e　3．a，d，e
4．b，c，d　5．c，d，e

問題 4 ☐☐☐ 35P31

X 線画像計測について正しいのはどれか.

1．CT 値は骨の X 線吸収係数を基準に算出される.
2．X 線 CT のスライス厚は 50 μm 程度である.
3．X 線 CT の空間分解能は 5 mm 程度である.
4．時間差分法は造影剤投与前後の画像を差分している.
5．ヨード系造影剤は X 線吸収量が小さい.

問題 2 ☐☐☐ 30P31

X 線 CT 画像について正しいのはどれか.

- a．臓器の 3 次元構造が得られる.
- b．画像再構成法として逆投影法がある.
- c．血管の撮像が可能である.
- d．X 線を双方向に照射する.
- e．空間分解能は 1 cm である.
1．a，b，c　2．a，b，e　3．a，d，e
4．b，c，d　5．c，d，e

問題 5 ☐☐☐ 36A32

X 線 CT 撮影について誤っているのはどれか.

1．装置から発生する音は MRI よりも大きい.
2．造影剤を使用して血管を強調する.
3．手術ナビゲーションに用いられる.
4．患者が動くと像が不鮮明になる.
5．放射線防護対策が必要である.

問題 3 ☐☐☐ 28A33

単純エックス線撮影について正しいのはどれか.

1．臓器から反射したエックス線を撮影する.
2．造影剤はエックス線に対する透過性が高い.
3．動きのある臓器には使用しない.
4．高密度の器官はエックス線を吸収して陰影を作る.
5．体動の影響は少ない.

問題 6 ☐☐☐ 37A32

画像計測について誤っているのはどれか.

1．PET は X 線 CT よりも画像の解像度が高い.
2．X 線 CT 像では脂肪よりも筋肉の方が高い CT 値を示す.
3．ディジタル X 線画像は DICOM 形式で保存される.
4．MRI 撮影では T_1 緩和と T_2 緩和が同時に進行する.
5．SPECT では断層像が得られる.

〈解答〉問題 1-4，問題 2-1，問題 3-4，問題 4-4，問題 5-1，問題 6-1

生体計測装置学
p.257〜274
最新 生体計測装置学
p.233〜239

（1）MRI（magnetic resonance imaging）

○ **概要** 【33回】【34回】【35回】【36回】 ────────────── ★★★

❯水素原子の空間分布を画像化する.
　・炭素，リン，ナトリウムでも画像化は可能.
❯化学シフトを調べることができる.
　・MRS（MRスペクトロスコピー）：代謝物の磁気共鳴信号を周波数に分類し，代謝
　　の種類の同定やその濃度，緩和時間などの情報を得る.
❯強力な外部磁場が使用されている.
❯磁気を発生させるため，非常に大きなローレンツ力の振動音が大きな騒音となる.
❯静磁場が必要である.
❯永久磁石や超伝導電磁石は静磁場発生に使われる.
❯超電導電磁石は −269℃の超低温にする必要があり，液体ヘリウムが必要.
❯静磁場強度にほぼ比例して画像のSN比が向上する.
❯軟部組織において高コントラストの明瞭な像が得られる.
❯筋肉や脂肪，軟部組織に発生した嚢胞や腫瘍などの詳細な画像化が可能である.
❯全身の撮影が可能である.
❯形態情報だけでなく，ある程度の生化学的情報を得ることもできる.
❯血流/消化液に関する情報が造影剤なしでも得られる.
❯血流の測定（血流分布）が可能である.
❯血管造影が可能である.
❯空間分解能は通常 0.2〜1.0mm 程度である.
❯得られる画像は静止画であり，心臓のような動きのある臓器の撮影には適さない.
❯任意の断面像を得るための体位変換は必要ない.
❯放射線被曝がない.
❯磁気シールドルームが必要である.

構成要素
❯静磁場コイル（静磁場発生磁石）：高周波磁場を発生させる.
❯傾斜磁場コイル：位置情報を得る. 必要な断面を得るときに静磁場に傾斜磁場を加える.
❯RFコイル（送受信コイル）：歳差運動している原子核にラジオ波（RF波）を照射し核磁気共鳴（NMR）現象を起こす. 体内の原子核から発生する弱い電磁波（NMR信号）を受信する.

MRI の撮像法

❷撮像手法や撮影パラメータの条件設定により，必要とされる情報を強調した画像を得ることができる．

❷T_1 強調画像：主に脂肪組織が白くみえ，水や液成分・嚢胞は黒くみえる．腫瘍はやや黒くみえる．

❷T_2 強調画像：脂肪組織だけでなく，水や液成分・嚢胞も白くみえる．腫瘍はやや白くみえる．

❷プロトン密度画像：T_1（縦緩和）・T_2（横緩和）のどちらの影響も受けにくい条件で撮影したもの．

❷拡散強調画像：組織内の水分子の動きである拡散現象を利用したもの．

❷脂肪抑制画像：脂肪成分が低信号として描出される（黒くみえる）．

○共鳴現象

❷共鳴現象を起こすためにラジオ波（RF 波）を照射する．

❷共鳴周波数（ラーモア周波数）は各原子核に固有であり，磁場の強さに比例するので一定ではない．

❷ラーモア周波数は静磁場強度に比例して大きくなる．

❷MRI はラジオ波（RF 波）照射後の変化を画像化している．

○傾斜磁場

❷傾斜磁場によって被写体の位置情報を得る．

❷傾斜磁場により臓器の 3 次元構造を画像化できる．

○緩和時間

❷緩和時間には縦緩和と横緩和がある．

❷緩和時間は横緩和より縦緩和の方が大きい．

〈縦緩和時間（T_1 緩和）〉

❷縦緩和はスピン-格子緩和，または T_1 緩和ともいう．

❷90 度パルスによって直行面に倒された磁化が徐々に静磁場の方向に戻る過程．

〈横緩和時間（T_2 緩和）〉

❷横緩和はスピン-スピン緩和，または T_2 緩和ともいう．

❷FID 信号（自由誘導減衰信号）のことで，時間とともに横磁化（静磁場に対し直行した磁化）が減衰すること．

問題 1　□□□　30A32

臨床用 MRI について正しいのはどれか.

　a．軟部組織の画像化に適している.
　b．炭素原子の空間分布を画像化する.
　c．水分の少ない組織の撮影に適している.
　d．撮像法として T_1 強調がある.
　e．血管造影が可能である.

1. a, b, c　2. a, b, e　3. a, d, e
4. b, c, d　5. c, d, e

問題 2　□□□　28P30

MRI について正しいのはどれか.

　a．放射線被曝がない.
　b．軟組織の画像化には適さない.
　c．体動に強い.
　d．酸素原子の空間分布を測定する.
　e．血流の情報が得られる.

1. a, b　2. a, e　3. b, c　4. c, d　5. d, e

問題 3　□□□　27P31

MRI 装置について正しいのはどれか.

　a．撮影の対象は酸素分子である.
　b．空間分解能は 5～10 mm 程度である.
　c．軟組織の画像化に適している.
　d．強力な外部磁場が使用されている.
　e．頭部よりも体幹部の撮影に適している.

1. a, b　2. a, e　3. b, c　4. c, d　5. d, e

問題 4　□□□　24P31

MRI 装置の構成要素はどれか.

　a．コリメータ
　b．RF 送受信コイル
　c．傾斜磁場コイル
　d．静磁場発生磁石
　e．サイクロトロン

1. a, b, c　2. a, b, e　3. a, d, e
4. b, c, d　5. c, d, e

問題 5　□□□　34P31

MRI について正しいのはどれか.

　a．造影剤を用いなくても血管を描画できる.
　b．炭素原子の分布を画像化したものである.
　c．画像の輝度値は水を 0,　空気を −1000 とする.
　d．X 線 CT に比べ肺の構造観察に適している.
　e．撮影では傾斜磁場を用いて位置情報を得ている.

1. a, b　2. a, e　3. b, c　4. c, d　5. d, e

問題 6　□□□　35A31

MRI について誤っているのはどれか.

　a．炭素原子の空間分布を画像化する.
　b．超電導電磁石には液化ヘリウムが用いられる.
　c．静磁場強度が高いほど画質は向上する.
　d．画像化には傾斜磁場が必要である.
　e．石灰化病変の描出に適している.

1. a, b　2. a, e　3. b, c　4. c, d　5. d, e

〈解答〉問題 1-3,　問題 2-2,　問題 3-4,　問題 4-4,　問題 5-2,　問題 6-2

4. ラジオアイソトープ（RI）による画像計測

（1）ラジオアイソトープ

○概要 【34回】【35回】　　　　　　　　　　　　　　　　　　　★★
- ❱体内に投与されたラジオアイソトープ（radio isotope；RI）から放出されるγ線を検出する.
- ❱γ線と相互作用で蛍光（可視光）を発するシンチレータを用いる.
- ❱空間分解能は3〜5 mm程度. X線CT（0.3〜1 mm）よりも低い.
- ❱ガンマカメラ
  - ・体内から放射されるγ線を測定する.
  - ・RI（放射性同位元素）の体内分布を2次元投影像として画像化する.
  - ・動態機能検査に適している.

（2）単光子断層法（SPECT）

○単光子断層法（single photon emission computed tomography；SPECT）
【33回】【34回】【35回】【37回】　　　　　　　　　　　★★★
- ❱脳や心筋の血流量に関する撮像が可能である.
- ❱主な診断の対象は腫瘍である.
- ❱体内からのγ線をとらえる.
- ❱人体における放射性医薬品の体内分布ならびに動態を断層像として画像化する.
- ❱人体の3次元構造を画像化する.
- ❱体内での放射線の散乱，吸収を考慮する必要がある.

（3）陽電子断層法（PET）

○陽電子断層法（positron emission tomography；PET）
【33回】【34回】【35回】【37回】　　　　　　　　　　　★★★
- ❱加速器を用いて作った核種を生体に投与する.
- ❱被曝量はX線CT検査で受けるよりずっと小さい.
- ❱陽電子は電子と同じ質量をもつ.
- ❱ポジトロン発生装置にサイクロトロンが用いられる.
- ❱体内に注入した核種から放出される陽電子が近くの電子と対消滅を起こし，β^+崩壊によって発生した一対のγ線を検出して画像化する.
- ❱PETの空間分解能は3〜5 mm程度である.
- ❱3次元画像が得られる.
- ❱腫瘍の撮影が可能である.
- ❱糖代謝の撮像が可能である（FDG-PETによって糖代謝の高い組織が可視化される）.
- ❱撮影時間はRIの半減期で決められる.
- ❱SPECTで用いる核種よりポジトロン核種の半減期は短い.

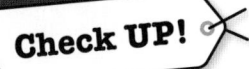
問題 1　□□□　31A33

ラジオアイソトープによる画像計測について誤っているのはどれか.

1. PET の空間分解能は X 線 CT と同程度である.
2. PET では陽電子の対消滅による γ 線を検出する.
3. SPECT では人体の 3 次元構造を画像化する.
4. 体内での放射線の散乱を考慮する必要がある.
5. 体内での放射線の吸収を考慮する必要がある.

問題 2　□□□　28P31

核医学における画像測定について正しいのはどれか.

a. PET で糖代謝の撮像が可能である.
b. 体外から放射線を照射することで画像化する.
c. β 線が測定の対象である.
d. SPECT で脳の血流量に関する撮像が可能である.
e. PET で 3 次元画像が得られる.
1. a, b, c　2. a, b, e　3. a, d, e
4. b, c, d　5. c, d, e

問題 3　□□□　29P32

PET について誤っているのはどれか.

1. 加速器を用いて作った核種を生体に投与する.
2. β 線を検出して画像化する.
3. FDP-PET によって糖代謝の高い組織が可視化される.
4. 陽電子は電子と同じ質量をもつ.
5. 陽電子は電子と衝突して消滅する.

問題 4　□□□　35P32

ラジオアイソトープを用いた画像撮影について誤っているのはどれか.

1. X 線 CT に比べて空間分解能が低い.
2. SPECT は心筋の血流を観察できる.
3. FDG-PET はがん診断に有用である.
4. SPECT は中性子線を検出する.
5. PET は陽電子放出核種を用いる.

問題 5　□□□　34A32

ラジオアイソトープを用いた医用画像装置について正しいのはどれか.

a. X 線 CT に比べ空間分解能が高い.
b. 放射性核種から放出されるベータ線を検出し画像化している.
c. FDG-PET の撮影では糖代謝情報が得られる.
d. SPECT は脳血流分布を観察できる.
e. PET の撮影には施設内にサイクロトロンの設置が必要である.
1. a, b, c　2. a, b, e　3. a, d, e
4. b, c, d　5. c, d, e

〈解答〉問題 1-1,　問題 2-3,　問題 3-2,　問題 4-4,　問題 5-5

5. 内視鏡画像計測

（1）ファイバスコープ

○概要
- ❯画像は，対物レンズ，イメージファイバ，接眼レンズにより観察する．
- ❯数万本のガラスファイバ（イメージファイバ）を用いる．

（2）電子内視鏡

○概要　【33回】【35回】【36回】【37回】　　★★★
- ❯撮像素子は先端に CCD を用いる．
- ❯CCD を用いているのでモニタ画面に映すことができ，電子内視鏡は多人数で同時観察に適する．
- ❯高速撮影のため CMOS センサ（イメージセンサ）が利用されている．
- ❯導光用ファイバはグラスファイバが利用される．
- ❯内視鏡の光源（キセノンランプやハロゲンランプ）は装置システムに組み込まれている．
- ❯現在用いられている内視鏡は，種々の方法にて画像が記録できる仕様になっている．
- ❯観察と同時に治療が可能である．
- ❯生検は鉗子孔から挿入した鉗子を用いる．
- ❯管腔臓器の表在性病変の診断に使用される．
- ❯電子内視鏡は特殊光の画像を得ることができる．
- ❯電子内視鏡の挿入部分は洗浄と滅菌（消毒）を行い，繰り返し用いられる．
- ❯内視鏡の消毒には，フタラールやグルタラールなどが使用される．

（3）カプセル内視鏡　【34回】【35回】【36回】　　★★★

- ❯腸を対象とし，消化管の動きによって移動する．
- ❯イメージングセンサが内蔵されている．
- ❯LED を点灯させながら撮像し，外部の受信機へ送信する．

（4）超音波内視鏡　【37回】　　★★

- ❯内視鏡に超音波画像計測用の小型探触子（プローブ）がついている．
- ❯粘膜下の病変の診断に適している．
- ❯ラジアル走査方式，コンベック走査方式が使われている．

（5）特殊光内視鏡　【34回】【35回】【36回】　　★★★

NBI（narrow band imaging：狭帯域光イメージング）
- ❯面順次方式に用いられ，光源から RGB（三原色）の回転フィルタを用いて狭帯域特性に変化させカラー画像を得る方法．

❷青や緑の狭帯域光を用いることで深部の血管を強調表示できる.

FICE（flexible spectral imaging color enhancement）
❷同時方式に用いられカラーフィルタ付き撮像素子と白色光の照明を用いる.
❷RGB 画像から被写体の分光反射率を推定し，特定の波長情報から病変を強調表示できる.

IRI（infra-red imaging：赤外光観察）【37 回】 ━━━━━━━━━━━━━━━ ★★
❷2 つの赤外光を照射することで，通常光観察では難しい粘膜深部の血管などを強調表示する.

AFI（auto-fluorescence imaging：蛍光観察）
❷腫瘍性病変と正常粘膜を異なる色調で強調表示する.
❷青色光を照射するとコラーゲンなどの蛍光物質から自家蛍光が生じる.

臨床工学技士国家試験問題 Check UP!

問題 1 □□□ 31P31
内視鏡画像計測の構成要素でないのはどれか.

a. 光ファイバ
b. CCD
c. レンズ
d. 光電子増倍管
e. 検出コイル

1. a, b　2. a, e　3. b, c　4. c, d　5. d, e

問題 3 □□□ 36P31
内視鏡画像計測について正しいのはどれか.

a. ファイバスコープは先端に光源が装着されている.
b. 狭帯域光を用いて毛細血管を強調表示できる.
c. カプセル内視鏡は小腸病変の診断に使われる.
d. ファイバスコープは画像が記録できない.
e. 電子内視鏡は光源装置が不要である.

1. a, b　2. a, e　3. b, c　4. c, d　5. d, e

問題 2 □□□ 34P32
内視鏡画像計測について誤っているのはどれか.

1. カプセル内視鏡の光源には LED が用いられる.
2. 超音波内視鏡ではセクタ走査が用いられる.
3. 狭帯域光観察では 2 つの狭帯域波長光を用いる.
4. カプセル内視鏡は無線回路を内蔵している.
5. 電子内視鏡の先端にはイメージセンサが装着されている.

問題 4 □□□ 37P31
内視鏡画像計測について誤っているのはどれか.

a. 電子内視鏡はグラスファイバを用いて画像を伝達する.
b. 電子内視鏡の光源は挿入部先端に組み込まれている.
c. カプセル内視鏡は画像データを体外に送信する.
d. IRI（Infra-Red Imaging）では粘膜深部の血管を観察できる.
e. 超音波内視鏡は組織内部病変の診断に用いられる.

1. a, b　2. a, e　3. b, c　4. c, d　5. d, e

〈解答〉問題 1-5，問題 2-2，問題 3-3，問題 4-1

最新 生体計測装置学
p.262〜265

（1）光トポグラフィ

○概要 【37回】 ★★

- ❷光トポグラフィは，近赤外光を用いて大脳皮質機能を脳表面に沿ってマッピングを行う．
- ❷脳活動に伴って血流量が変化し，その変化が近赤外光の吸収率に影響を与えることを利用する．
- ❷光トポグラフィは，脳の活動を非侵襲的に測定できるため，脳卒中や認知症などの疾患の早期発見や治療効果の評価，学習や記憶のメカニズムの解明などに用いられている．
- ❷脳神経外科領域の術前検査に用いられる．

○原理 【36回】 ★★

- ❷近赤外分光法（NIRS）を用い，近赤外線領域の光の吸収スペクトルから構造や活動を解析する分析手法．
- ❷近赤外光は，頭皮を透過して脳に到達し，脳の血液に吸収され脳活動が活発になると，血流量が増加し，近赤外光の吸収率も増加する．この変化を，近赤外光脳計測装置で測定することで，脳の活動をマッピングすることができる．
- ❷近赤外線は，中赤外線や遠赤外線に比べて吸収が小さいため，非侵襲的に測定することができる．
- ❷血中のヘモグロビンに吸光特性をもつ近赤外線を利用し，脳活動に伴う大脳皮質の血中ヘモグロビン濃度変化を計測し，それを2次元的なマップに表す．
- ❷多チャンネル測定ができる．
- ❷光源：半導体レーザ（出力：約2mW）（波長：780nm，830nm）
- ❷受光：フォトダイオード（アバランシェフォトダイオード）
- ❷導光：光ファイバ

臨床工学技士国家試験問題 Check UP!

問題1 □□□ 36P32

装置から生体に物理的エネルギーを加えて計測するのはどれか.

- a. 超音波診断装置
- b. X線CT装置
- c. PET装置
- d. SPECT装置
- e. 光トポグラフィ装置

1. a, b, c　2. a, b, e　3. a, d, e
4. b, c, d　5. c, d, e

問題2 □□□ 37P32

光トポグラフィ装置について誤っているのはどれか.

1. 酸素化ヘモグロビン量の変化を検出する.
2. 大脳皮質の活動状態を可視化できる.
3. 脳神経外科領域の術前検査に用いられる.
4. 多チャンネル測定ができる.
5. 遠赤外光を用いて測定する.

〈解答〉問題1-2，問題2-5

V. 医用機器安全管理学

1. 各種エネルギーの人体への危険性

医用機器安全管理学
第2版
　　p.7～29

(1) エネルギーの安全限界

○ 安全限界エネルギー ─────────────────────────── ★

エネルギー の種類	作用（対象）	安全限界
低周波電流	離脱限界	10 mA（マクロショック危険性）
	感知電流	1 mA（マクロショック限界）
	心室細動	0.1 mA（ミクロショック限界）
高周波電流	熱傷（皮膚）	1 W/cm^2
	眼障害	0.1 W/cm^2
	睾丸	0.01 W/cm^2
超音波	キャビテーション	10 W/cm^2 以上で発生
	熱作用	1 W/cm^2
	生殖細胞	0.1 W/cm^2
温度	患者の熱傷	41℃（患者装着部）◀ 50℃（患者短時間接触）
	操作者の熱傷	55℃（連続保持金属部） 66℃（連続保持ガラス部） 75℃（連続保持ゴム部）
	生体が受ける障害	39～40℃　白血球の活動亢進 50℃前後　白血球死滅，赤血球の変形 60℃前後　溶血 70℃　血液凝固

> 熱を与えることを意図しない機器装着部の表面温度の上限（熱傷安全限界）

医用機器安全管理学
第2版
　　p.33～35

(2) 人体の電撃反応

○ 電撃に伴う人体反応　【37回】 ───────────────── ★★

電気ショック	電流値	人体の反応
マクロ ショック	6 A 以上	心臓の筋肉が収縮したままになる（心筋の持続的収縮） 一時的呼吸麻痺 熱傷を起こす
	100 mA～3 A	心室細動（心臓の痙攣が起きる）
	50 mA	痛みを感じる 気絶する 激しい疲労感が起きる
	10～20 mA	持続的に筋肉の収縮が起こり，自力で電流源から離れることができなくなる（離脱限界電流）
	5 mA	一般にヒトが我慢できる最大電流値. 電線を握った手を自分で離脱できる商用交流電流.
	1 mA	電気を感じはじめる電流（最小感知電流）
ミクロ ショック	0.1 mA （100 μA）	身体の中に留置したカテーテルなどから，直接体内に電流が流れた場合に心室細動（心臓のけいれん）が起きる

❷人体の反応は電流の流入，流出部位によって異なる.

❷マクロショックとは，人体の一部，主に人体表面から入り，別の部分から出る電流により，人体に与える電撃である.

❷ミクロショックとは，電流が心臓に直接流れることによる電撃である.

○ 最小感知電流 【34回】【35回】【36回】【37回】 ★★★

❷皮膚に1mAの商用交流電流が流れるとビリビリと感じる.

❷ビリビリと感じ始める電流値を最小感知電流という.

❷1kHz以上では人体の最小感知電流は周波数に比例する.

・100kHzの交流電流を成人男性に1秒間通電したときの最小感知電流は100mAである.

国試 【28回】【30回】

300kHzの交流電流を1秒間通電したときの感知電流の閾値［mA］に近い値はいくつか.

解答

人体における電撃反応については1kHzを基準として，その周波数の倍数分だけ許容値が上昇する.

問題では最小感知電流について問われており，1kHzまでは1mA.

その300倍まで許容するので，1mA×300＝300mAとなる.

○ 電撃の周波数特性 【35回】【37回】 ★★

❷電気メスで電撃が起きないのは高周波を使用しているからである.

❷直流電流は交流電流に比べて生体組織に化学的変化を起こしやすい.

○ 離脱限界電流 ★

❷商用交流の離脱限界電流値は最小感知電流値の約10倍である.

○ マクロショック心室細動 【35回】【37回】 ★★

❷10mAの商用交流で手足の運動の自由が失われる可能性がある.

❷体表から100mAの商用交流が流れ込むと心室細動が誘発されるおそれがある.

❷女性のマクロショック電流値は男性よりも小さい.

❷小児のマクロショック電流値は成人男性の1/2である.

❷心臓付近の体表に電極を張り付ける心尖拍動図の検査は，マクロショックを起こす可能性がある.

❷体表から受ける電撃によって起こる事故死の多くは心室細動が発生するからである.

❷マクロショックによる心室細動誘発電流閾値は最小感知電流の100倍である.

◯ ミクロショック心室細動 【35回】─────────────────── ★★

- ❷ミクロショックの場合，心室細動が誘発されるのは $100\,\mu A$ 以上の電流である．
- ❷右房圧のモニタリングではミクロショックの危険がある．
- ❷心臓内に電極を挿入する His 束心電図検査は，心室細動が発生しないように注意して行われる．
- ❷アンギオグラフィで最も注意しなければならないのはミクロショックである．

医用機器安全管理学
第2版
p.9〜29

（3）事故事例

◯ 医療現場で注意すべき事例

安全の種類	内容（例）
電気的安全	感電ショック，過大ショック，エネルギー分流，他の機器への干渉，情報のひずみ，機能停止，停電，雑音など
機械的安全	落下，圧迫，鋭利なエッジ，パイピングのはずれ，ゴム管の裂け，血液漏れ，超音波の集中など
化学的安全	医用ガスや薬品の誤用，量の過多過少，機器の腐食，材質の変化，爆発，火災など
熱的安全	異常高温，異常低温，発熱の集中，恒温が保たれない，爆発，火災など
放射線的安全	放射線漏れ，過大エネルギー照射，過度の集中，長期間作用など
光学的安全	過度の集中，目的物以外への漏れ（反射，屈折）など
生物学的安全	滅菌不全による細菌感染，血栓や気泡の混入（キャビテーション），生理学的反応によるものなど

- ❷心電計に対する電磁障害は主に，商用電源周波数の交流障害（ハム雑音）の混入，電気メスからのノイズ混入が原因となる．

手術直後に電気メスが原因と思われる熱傷が発見されたときの処置

- ❷ディスポーザブル対極板を回収して保管した．
- ❷電気メス本体の高周波漏れ電流を測定した．
- ❷患者の許可を得て熱傷部位の写真を撮った．

レーザの安全

- ❷レーザ保護眼鏡の性能はレーザ光の最高出力で測る．
- ❷CO_2 レーザ照射中は手術野周囲の組織を濡れガーゼで覆う．
- ❷可視光レーザは高輝度であるため，明るい照明下でも容易に視認できるため，部屋を暗くする必要はない．
- ❷レーザ照射部位では有害な悪臭を伴うこともあるため，室内換気には十分注意する．

事故とその原因

- ❷火災──電源導線の絶縁被覆の劣化
- ❷発火──高圧酸素ボンベの急激なバルブ開放
- ❷感染──手術室内の空調の故障
- ❷感染──ディスポーザブル製品の再使用
- ❷感電──医用電気機器内への薬液の浸入
- ❷熱傷──アルコール消毒直後の電気メスの使用

○組合せ 【35 回】 ━━━━━━━━━━━━━━━━━━━━━━━━━━━━━━ ★★

- ❯超音波吸引手術装置——紅斑（熱傷）
- ❯熱希釈式心拍出量計——不整脈
- ❯観血式血圧モニタ——ミクロショック
- ❯非観血式血圧計——内出血
- ❯経皮的酸素分圧モニタ——水疱
- ❯パルスオキシメータ——紅斑
- ❯電気メス——熱傷
- ❯電気メス——電磁障害
- ❯レーザメス——眼障害
- ❯人工呼吸器——圧損傷
- ❯高圧酸素療法装置——減圧症
- ❯マイクロ波加温装置——熱傷
- ❯医療用テレメータの雑音障害——電気的安全
- ❯人工呼吸器の外れ——機械的安全
- ❯電気メスによる高周波分流——熱的安全
- ❯血液ポンプによる溶血——化学的安全
- ❯観血式血圧測定ラインの血栓形成——生物学的安全

臨床工学技士国家試験問題　Check UP!

問題 1 □□□   31P37 改

電流に対する人体の反応について正しいのはどれか.

- a. 直接心臓に電流が流れ込んで起こる電撃をマクロショックという.
- b. 直流電流は交流電流に比べて生体組織に化学的変化を起こしにくい.
- c. 直接心臓に $10\,\mu A$ の商用交流電流が流れると心室細動が誘発される.
- d. 体表面に $100\,mA$ の商用交流電流が流れると心室細動が誘発される.
- e. 最小感知電流閾値は $1\,kHz$ を境に周波数に比例して上昇する.

1. a, b　2. a, e　3. b, c　4. c, d　5. d, e

問題 2 □□□   29P38

1 秒間の通電によって成人に影響を及ぼす商用交流電流の値で考えられないのはどれか.

1. 電流による熱傷が起きる———————— 10 A
2. マクロショックで心室細動が生じる—— 200 mA
3. 筋肉の不随意運動が生じる———————— 30 mA
4. 手で触れてビリビリと感じる———————— 2 mA
5. ミクロショックで心室細動が生じる—— $10\,\mu A$

成人に影響を及ぼす値で誤っているのはどれか.

a. ミクロショックで心室細動が生じる商用交流電流：10 μA
b. マクロショックで心室細動が生じる商用交流電流：200 mA
c. 手で触れて感じる最小商用交流電流：1 mA
d. 電線を握った手を自分で離脱できる商用交流電流：5 mA
e. 電撃閾値が変化し始める周波数：10 kHz

1. a, b　2. a, e　3. b, c　4. c, d　5. d, e

体表面に 100 kHz の電流が流れたとき，およそその最小感知電流［mA］はどれか.

1. 0.1
2. 1
3. 10
4. 100
5. 1000

事故とその原因との組合せとして考えられるのはどれか.

a. 感電——ME 機器の電源ヒューズの断線
b. 被曝——X 線 CT 装置への電源供給停止
c. 感染——ディスポーザブル製品の再使用
d. 発火——高圧酸素ボンベの急激なバルブ開放
e. 熱傷——アルコール消毒直後の電気メスの使用

1. a, b, c　2. a, b, e　3. a, d, e
4. b, c, d　5. c, d, e

電撃に対する人体の反応で正しいのはどれか.

1. 心臓に 10 μA の商用交流電流が直接流れると心室細動が誘発される.
2. 体表に 10 mA の商用交流電流が流れると筋肉が不随意的に収縮する.
3. 感知電流の閾値は 1 kHz を超えると周波数に比例して下がる.
4. マクロショックによる心室細動誘発電流閾値は最小感知電流の 1000 倍である.
5. 交流電流は直流電流に比べて生体組織に化学的変化を起こしやすい.

医療機器とその有害事象との組合せで適切でないのはどれか.

1. マイクロ波加温装置————キャビテーション
2. 熱希釈式心拍出量計————不整脈
3. 経皮的酸素分圧モニタ————水疱
4. 電気メス————————熱傷
5. レーザメス————————眼傷害

〈解答〉問題 1-5，問題 2-5，問題 3-2，問題 4-3，問題 5-1，問題 6-4，問題 7-2

2. 安全基準

医用機器安全管理学
第2版
p.31〜33

(1) 医用機器・設備の体系化

○ **日本産業規格（Japanese Industrial Standards；JIS）**

医療機器および医療設備の安全基準 【33回】 ──────────── ★★

▶ JIS T 0307：医療機器-医療機器のラベル，ラベリングおよび供給される情報に用いる図記号

▶ JIS T 0601-1：医用電気機器-基礎安全および基本性能に関する一般要求事項

▶ JIS T 0601-2-XX：医用電気機器-各種医療機器の個別要求事項
・JIS T 0601-2-1 の規格は JIS に存在しない（2022年4月現在）

▶ JIS T 1011：医用電気機器用語

▶ JIS T 1022：病院電気設備の安全基準

▶ JIS T 7101：医療ガス設備

▶ JIS T 14971：医療機器-リスクマネジメントの医療機器への適応

JIS で規定されている医療機器

▶ 輸液ポンプ

▶ 電気メス

▶ 体外式ペースメーカ（植込み型は規定されていない）

▶ 心電計

▶ 観血式血圧計　など

(2) 医用電気機器の安全基準（JIS T 0601-1）

医用機器安全管理学
第2版
p.40〜44
p.53〜56

○ **ME 機器装着部の形別分類** 【33回】【35回】 ──────────── ★★

形別分類	患者漏れ電流（正常状態）	外部からの流入	適用範囲
B 形	マクロショック対策 0.1 mA（100 μA）	保護なし	体表のみ適用
BF 形		フローティング	
CF 形	ミクロショック対策 0.01 mA（10 μA）		直接心臓に適用可

▶ 患者装着部の F（floating）は患者への外部電圧の印加に対する防護手段である．

▶ SIP/SOP への外部電圧を印加した場合の患者漏れ電流と患者測定電流の許容値は同等である．

▶ 保護接地していない金属の接触可能部分へ外部電源を印加した場合の患者漏れ電流は，CF 形では試験対象外となる．

▶ JIS T 0601-1 における「装着部」に該当
・電気メスの対極板
・脳波計の誘導コード
・血液ポンプのチューブと送血カニューレとの接合部

B 形

❯装着部は体表面からのマクロショックによる電撃を防止できる.

❯ME 機器の体表面からの患者漏れ電流の許容値は 100 μA である.

❯1 患者に 1 台の機器のみを使用することを想定している.

BF 形

❯装着部はマクロショックを防護できる.

❯ME 機器の正常状態における患者漏れ電流の患者測定電流（交流）の許容値は 100 μA である.

❯マクロショック最小感知電流の 1/10 である, 0.1 mA 以内に抑えられる.

❯除細動器を使用する場合は誘導コードの接続を外す（耐除細動型は除く）.

❯患者装着部は非接地になっている.

CF 形

❯C は cardio（心臓）, F は floating（浮いた）を意味する.

❯ミクロショック・マクロショック対策が施されている.

❯患者装着部は非接地である.

❯装着部の患者漏れ電流の許容値は正常状態で 10 μA, 単一故障状態で 50 μA である.

❯食道誘導心電図は CF 形の心電計を使用して測定する.

❯心臓内カテーテルを挿入する場合に必須である.

●ME 機器のクラス別分類

クラス別分類と保護手段 【33回】【35回】 ──────────── ★★

クラス別	保護手段	追加保護	備考
クラスⅠの ME 機器	基礎絶縁	保護接地	・保護接地設備が必要. ・保護接地線の抵抗 　着脱可能なコード：0.1Ω（100mΩ）以下 　着脱不可能なコード：0.2Ω（200mΩ）以下 ・医用接地極付2極プラグ（3Pプラグ）でなければならない. 3Pコンセント　医用接地付き2Pプラグ　医療機器　基礎絶縁　保護接地▽
クラスⅡの ME 機器	基礎絶縁	補強絶縁	・使用上の使用制限なし. ・2Pコンセント（でも良い）. ・基礎絶縁と補強絶縁の二重絶縁が必要. ・基礎絶縁＋補強絶縁と同等の絶縁能力をもつ一重の強化絶縁としてもよい. ・保護接地を必要としない（機能接地として接地する場合もある）. 3Pコンセント（2Pコンセントでも良い）　2Pプラグ　医療機器　基礎絶縁　補強絶縁　二重絶縁　保護接地を必要としない 3Pコンセント（2Pコンセントでも良い）　2Pプラグ　医療機器　強化絶縁　保護接地は必要としない
内部電源 ME 機器	基礎絶縁	内部電源	・商用交流電源に接続する際はクラスⅠまたはクラスⅡ機器として働くこと. ・バッテリ（一次・二次電池）時のみ内部電源 ・バッテリを使用するためフローティングとなる（ただし充電しながら使用する機器は対象とならない）. ※外部電源は使用せず　医療機器　基礎絶縁　電池　一次電池または二次電池

❷基礎絶縁とは，感電に対する基礎的な保護をする絶縁である．

❷補強絶縁とは，基礎絶縁の不良時における電撃に対する保護のため，基礎絶縁に追加して使用する独立した絶縁である．

❷強化絶縁とは，感電に対する絶縁として，単一のものとして基礎絶縁と補強絶縁と同等の保護が可能な絶縁である．

❷患者に使用できるのはクラスⅠの ME 機器，クラスⅡの ME 機器および内部電源の ME 機器の 3 種類である．

❷永久接地型機器とは，工具を使用しなければ取り外せない永久的な接続の方法で，電源（商用）に接続する機器である．

クラスⅠの ME 機器

❷保護接地として，2P プラグに別途アース線を引いて接地するのは認められない．

❷保護接地線の抵抗

・着脱可能なコード：$0.1\,\Omega$（$100\,\text{m}\Omega$）　以下

・着脱不可能なコード：$0.2\,\Omega$（$200\,\text{m}\Omega$）　以下（医用プラグの接地ピンから機器の外装まで）

クラスⅡの ME 機器

❷保護手段は二重絶縁または強化絶縁である．

❷筐体部の保護接地をしないで使用するのが基本である．

❷強化絶縁の場合の絶縁は一重でよい．

❷2P コンセントが使用できる．

内部電源 ME 機器

❷内部電源には一次電池または二次電池が使用される．

❷内部電源はフローティング電源として機能している．

○図記号

医療機器に関する図記号 ──────────────────────── ★

記号	説明	記号	説明	記号	説明
│	ON（電源の"入"）	▽	等電位化	（人）	B 形装着部
○	OFF（電源の"切"）	⏚	保護接地（大地）	（人・枠）	BF 形装着部
⊙	機器の一部分だけの"入"	⏚	接地（大地）	♥	CF 形装着部
○（下線）	機器の一部分だけの"切"	回	クラスⅡのME機器→ 2P コンセント使用可能	（人・矢印）	耐除細動形 B 形装着部
△!	注意	Ⓐ🅿	AP 類機器	⊣人⊢	耐除細動形 BF 形装着部
⚡	危険電圧・電気メスの出力端子・除細動の出力端子	ⒶⓅⒼ	APG 類機器	⊣♥⊢	耐除細動形 CF 形装着部

図記号　その他

記号	説明	記号	説明	記号	説明
∿	交流	▬▬▬	直流	⊕（縦棒）	電源の"入"/"切"（オルタネート型）注記　入及び切の各安定状態がある
3∿	三相交流	≂	直流および交流の両方		
3N∿	中性線をもつ三相交流	📖ⓘ	操作指示に従う	⊖（横棒）	電源の"入"/"切"（モメンタリ型）注記　通常は切の状態で，ボタンを押している間だけ入の状態になる
		▽（逆三角）	緊急停止		
⊗	単回使用（再使用禁止）				

○機器の表示光の色

機器表示光　【33回】【36回】 ──────────────────── ★★

色	意味
赤	警告：操作者による即時の対応が必要
黄	注意：操作者による速やかな対応が必要
緑	使用の準備が完了
その他の色	赤，黄または緑の意味以外の意味

❷心室細動の発生時に心電図モニタの赤色のランプが点滅する．

❷電源外れのときに黄色のランプが点灯する．

❷除細動器の充電完了時に緑色のランプが点灯する．

(3) 病院電気設備の安全基準（JIS T 1022）

○医用接地方式　【37回】　　　　　　　　　　　　　　　　　　　　　　　　★★

- ❥すべての医用電気機器を使用する医用室には医用接地センタ，医用コンセントおよび医用接地端子を設けなければならない．
- ❥医用接地極の接地抵抗値は 10 Ω 以下である．
  - ・10 Ω 以下にすることが困難な場合には，等電位接地配線をすることで接地抵抗を 100 Ω にすることができる．
- ❥接地幹線として建物の鉄骨や鉄筋が使用できる（鉄骨の地下部分を接地極とする）．
- ❥接地分岐線の被覆の色は，緑と黄の縞模様または緑と定められている．
- ❥医用接地センタは，接地幹線と医用コンセント，医用接地端子を接地する機器を中継する．
- ❥壁面接地端子と医用接地センタ間の電気抵抗は 0.1 Ω 以下である．
- ❥医用接地センタには水道管などが接続される．
- ❥X 線装置の外装は接地しなければならない．
- ❥心臓カテーテル検査室内の医用機器の保護接地線は医用接地センタに 1 点に接続する．
- ❥MRI の外装は接地する必要がある．
- ❥電源コードをリング状にまとめておくと，電気的受動素子であるコイルを形成することになり，高周波抵抗（インピーダンス）が大きくなる．

○等電位接地（EPR システム）

- ❥等電位接地の目的はミクロショック防止である．
- ❥電極などを直接心臓に挿入または接続して医療を行う医用室に設ける．
- ❥医療を行うため患者が占める場所から水平方向 2.5 m，床高さ 2.3 m の範囲にある，表面積が 0.02 m^2 を超える金属などの導線部分を，医用接地センタのリード線に 0.1 Ω 以下の電線で直接接続する．
- ❥等電位接地を施した導電性部分と医用接地センタとの間の電気抵抗は，無負荷時電圧が 6 V 以下の交流電源によって約 25 A の電流を流した電圧降下法で測定したとき 0.1 Ω 以下とする．

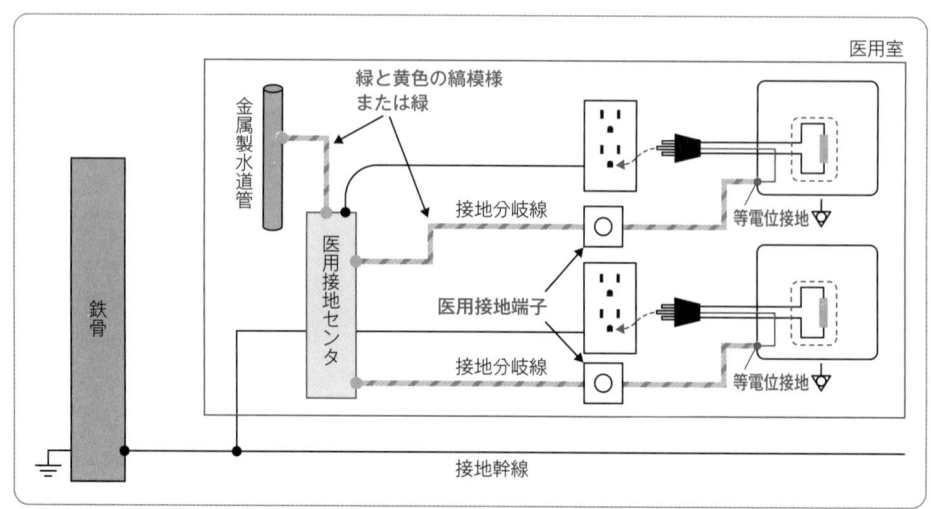

接地方式の適応（カテゴリー分類）【34回】【36回】 ━━━━━━━━━━ ★★

カテゴリー	医用処置内容	医用接地方式		非接地配線方式	非常電源		医用室の例
		保護接地	等電位接地		一般/特別	無停電	
A	心臓内処置，心臓外科手術及び生命維持装置の適用に当たって，電極などを心臓区域内に挿入又は接触し使用する医用室	○	○	○	○	○	手術室，ICU（特定集中治療室），CCU（冠動脈疾患集中治療室），NICU（新生児特定集中治療室），PICU（小児集中治療室），心臓カテーテル検査室　など
B	電極などを体内に挿入又は接触し使用するが，心臓には適用しない体内処理，外科処置などを行う医用室	○	△	○	○	△	GCU（新生児治療回復室），SCU（脳卒中集中治療室），RCU（呼吸器疾患集中治療室），MFICU（母体胎児集中治療室），HCU（準集中治療室）など
C	電極などを使用するが，体内に適用することのない医用室	○	△	△	○	△	救急処置室，リカバリ室，LDR室（陣痛・分娩・回復室），分娩室，放射線治療室，MRI室，X線検査室，人工透析室，診察室，心電図室　など
D	患者に電極などを使用することのない医用室	○	△	△	△	△	病室，診察室，検査室，処置室　など

○：設けなければならない，△：必要に応じて設ける

○ 医用コンセント保持力 【33回】【35回】 ━━━━━━━━━━ ★★

定格電流（A）	接地極	保持力（N）
15	あり	15〜60
15	なし	10〜60
20	あり	20〜100
20	なし	15〜60

国試 【19回】

　図のような電源コンセント電圧測定の際，リード棒を差し込んでも感電の恐れがないのは？

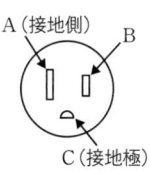

A（接地側）
B
C（接地極）

解答

AとC

非接地配線方式　【33回】【34回】【37回】

- ❯ 非接地配線方式の設備目的は，電路の地絡時にも電源供給を確保することにある．
- ❯ カテゴリ A と B の集中治療室などに必要な設備である．
- ❯ 生命維持装置を使用する場所には必要な配線方式である．
- ❯ 電路の二次側には絶縁監視装置（アイソレーションモニタ）を設備しなければならない．
- ❯ 非接地配線方式であっても機器の保護接地は必要である．
- ❯ 電路の片側と大地との絶縁を監視している．
- ❯ 設備側に絶縁変圧器（アイソレーショントランス）を設ける．
- ❯ 非常電源との連動性はない．
- ❯ 非接地配線方式で使用する絶縁トランスは，2 次巻線から 1 次巻線への漏れ電流を 0.1 mA（100 μA）以下と規定している．
- ❯ 絶縁監視装置は絶縁変圧器の 2 次側対地インピーダンスが 50 kΩ 以下（100 V/50 kΩ＝2 mA）になり，漏れ電流量が 2 mA を超えたときに警報を発する．
- ❯ 使用する絶縁変圧器の電源容量（定格容量）は 7.5 kVA 以下である．
- ❯ 絶縁変圧器の巻数比は 1：1 である．
- ❯ 消費電流が上昇した場合には電流監視装置が作動する：絶縁監視装置とは関係なし．
- ❯ 絶縁監視装置の警報が鳴る原因
    - ・地絡や漏電が発生した．
    - ・多くの医療機器が使用されていた（合計の接地漏れ電流が大きくなった）．

非常電源

非常電源の種類　【34回】

非常電源の種類	電圧確立時間（立ち上がり時間；始動時間）	連続運転時間	外郭表示色	用途
一般	40 秒以内	10 時間以上	赤	重要機器・照明
無停電（UPS を含む）	無停電（0 秒）	10 分以上（一般非常電源が立ち上がったら自動的に一般非常電源に接続し 10 時間以上）	緑	手術灯

（2023.12.20 より JIS 改定）

- ❯ 非常電源は自家発電装置を備え，10 時間以上連続運転できるだけの燃料の備蓄が必要．

交流無停電電源（uninterruptide power system；UPS）

- ❯ 無停電非常電源（UPS を含む）から供給されるコンセントの外郭表示色は緑色である．
- ❯ 無停電非常電源に含まれる．
- ❯ 一般，特別非常電源と組み合わせて使用する．

問題1　□□□　26P40

図の記号が表示されるのはどれか.

- a．電気メスの出力端子
- b．除細動保護回路を持つモニタの入力端子
- c．ペースメーカの出力端子
- d．静電気放電で破壊される可能性のある入力端子
- e．除細動器の出力端子

1．a, b　2．a, e　3．b, c　4．c, d　5．d, e

問題4　□□□　29A41

図の記号が付いたスイッチの用途で適切なのはどれか.

1．手術灯のオン・オフ
2．患者モニタ装置の主電源のオン・オフ
3．心電計のハムフィルタのオン・オフ
4．輸液ポンプのスタート・ストップ
5．心臓カテーテル検査装置のディスプレイのオン・オフ

問題2　□□□　27A41

図の記号がついた心電図モニタについて誤っているのはどれか.

1．胸部誘導の心電図をモニタすることができる.
2．ペーシング電極から心内心電図を誘導できる.
3．ICU のモニタとして望ましい心電図モニタである.
4．接触電流は人工呼吸器と同じ程度でよい.
5．除細動器を使用するときは誘導コードを外す必要がある.

問題5　□□□　30A40

図の記号がついた心電計について正しいのはどれか.

- a．マクロショック対策がされている.
- b．除細動器を使用する場合は誘導コードの接続を外す.
- c．追加保護接地を行えば心内心電図を測定することができる.
- d．補強絶縁がされている.
- e．患者装着部は非接地になっている.

1．a, b, c　2．a, b, e　3．a, d, e
4．b, c, d　5．c, d, e

問題3　□□□　28P39

図の記号がついた輸液ポンプについて正しいのはどれか.

1．患者装着部がフローティングされている.
2．クラスⅠの ME 機器である.
3．2P コンセントが使用できる.
4．ミクロショック対策がされている.
5．防滴構造になっている.

問題6　□□□　27P39

CF 形装着部の F の意味はどれか.

1．fibrillation
2．fool‐proof
3．fail‐safe
4．floating
5．free

ME 機器の分類について正しいのはどれか.

　a．クラス I の ME 機器の追加保護手段は保護接地である.
　b．B 形装着部は外部電圧の印加に対して保護されていない.
　c．内部電源 ME 機器の追加保護手段は基礎絶縁である.
　d．CF 形装着部は接地されている.
　e．クラス II の ME 機器は在宅使用に適している.

1．a, b, c　2．a, b, e　3．a, d, e
4．b, c, d　5．c, d, e

表示光ならびに表示色の使用について正しいのはどれか.

　a．心電図モニタの電極外れのときに黄色のランプが点灯する.
　b．保護接地線の被覆が黒色である.
　c．特別非常電源コンセントの外郭が緑色である.
　d．除細動器の充電完了時に赤色のランプが点灯する.
　e．心室細動の発生時に心電図モニタの赤色のランプが点滅する.

1．a, b　2．a, e　3．b, c　4．c, d　5．d, e

病院電気設備の安全基準（JIS T 1022：2006）で規定されているカテゴリー B（電極などを使用するが，心臓には使用しない医用室）に設けなければならないのはどれか.

　a．保護接地
　b．非接地配線方式
　c．等電位接地
　d．無停電非常電源
　e．一般/特別非常電源

1．a, b, c　2．a, b, e　3．a, d, e
4．b, c, d　5．c, d, e

非接地配線方式の絶縁監視装置の警報が鳴ったときに，考えられるのはどれか.

　a．地絡が発生した.
　b．接地分岐線が断線した.
　c．絶縁抵抗が 100 kΩ 以上になった.
　d．負荷の消費電流の合計が 20 A を超えた.
　e．多数の ME 機器が使用されていた.

1．a, b　2．a, e　3．b, c　4．c, d　5．d, e

JIS で規定されていないのはどれか.

1．輸液ポンプ
2．電気メス
3．植込み型ペースメーカ
4．心電計
5．観血式血圧計

医用電気機器に関する個別規格はどれか.

1．JIS T 0601-1
2．JIS T 0601-1-1
3．JIS T 0601-1-2
4．JIS T 0601-2-1
5．JIS T 0601-2-2

ME 機器の分類について正しいのはどれか.

　a．B 形装着部は外部電圧の印加に対して保護されている.
　b．CF 形装着部は接地されている.
　c．内部電源 ME 機器の追加保護手段は補強絶縁である.
　d．クラス I の ME 機器の追加保護手段は保護接地である.
　e．クラス II の ME 機器は在宅使用に適している.

1．a, b　2．a, e　3．b, c　4．c, d　5．d, e

JIS T 1022 で MRI 室などのカテゴリ C に属する医用室に設けなければならない電気設備はどれか.

　a．保護接地
　b．等電位接地
　c．非接地配線方式
　d．無停電非常電源
　e．一般または特別非常電源

1．a, b　2．a, e　3．b, c　4．c, d　5．d, e

問題 15　35P41

定格電流 15A の医用コンセントの保持力〔N〕として適切なのはどれか.

1. 1
2. 5
3. 10
4. 50
5. 75

問題 16　34P40

非接地配線方式について正しいのはどれか.

a. 地絡事故による停電を防止する.
b. 絶縁変圧器の二次側回路は片側を接地する.
c. 絶縁変圧器の定格容量は 30 kVA 以下である.
d. 絶縁変圧器の二次側の対地インピーダンスは 1 MΩ 以下で警報が発生する.
e. 絶縁変圧器の二次側から一次側 1 への漏れ電流値は 0.1 mA 以下である.

1. a, b　2. a, e　3. b, c　4. c, d　5. d, e

問題 17　34A40

JIS T 1022 における無停電非常電源のコンセント外郭の色はどれか.

1. 白
2. 赤
3. 緑
4. 茶
5. 灰

問題 18　36P38

JIS T 0601-1 で規定されている「使用の準備が完了」を示す表示光の色はどれか.

1. 白
2. 橙
3. 黄
4. 青
5. 緑

問題 19　36P39

JIS T 1022 の規定で一般の人工透析室に設けなければならない電気設備はどれか.

a. 保護接地
b. 等電位接地
c. 非接地配線方式
d. 無停電非常電源
e. 一般非常電源

1. a, b　2. a, e　3. b, c　4. c, d　5. d, e

問題 20　37P38

JIS T 1022 の規定で誤っているのはどれか.

1. ME 機器を使用するすべての医用室には保護接地を設けなければならない.
2. ME 機器に電源供給する場合には医用コンセントが使用される.
3. 設置幹線には病院建物の鉄骨が利用できる.
4. 壁面接地端子と医用接地センタ間の電気抵抗は 1Ω 以下である.
5. 医用接地方式に用いる接地極の接地抵抗値は 10Ω 以下である.

問題 21　37P39

非接地配線方式の主たる目的はどれか.

1. 患者漏れ電流の防止
2. 対地絶縁破壊の防止
3. 停電時の電源確保
4. 一線地絡時の電源供給継続
5. 過電流の監視

〈解答〉問題 1-2, 問題 2-5, 問題 3-3, 問題 4-5, 問題 5-2, 問題 6-4, 問題 7-2, 問題 8-2, 問題 9-2, 問題 10-2, 問題 11-3, 問題 12-5, 問題 13-5, 問題 14-2, 問題 15-4, 問題 16-2, 問題 17-3, 問題 18-5, 問題 19-2, 問題 20-4, 問題 21-4

医用機器安全管理学
第2版
p.157〜158

（1）測定用器具（MD）

◎回路構成と周波数特性　【34回】【35回】【36回】【37回】　★★★

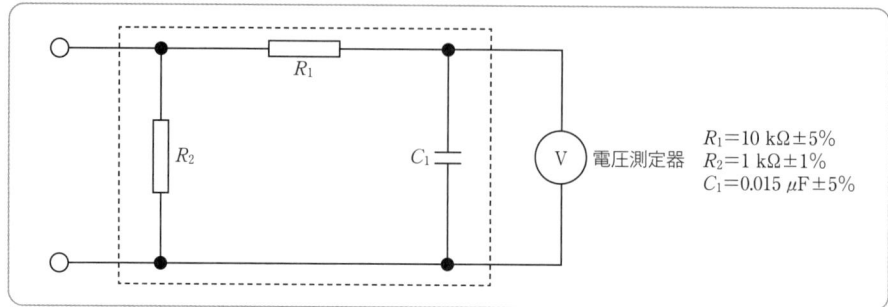

図　漏れ電流測定用器具（MD）

❷漏れ電流測定用器具（MD）の人体の模擬抵抗（R_2）は1kΩ である．

❷漏れ電流測定用器具（MD）の R_1：10 kΩ と C_1：0.015 μF のコンデンサの役割は，人体の感電特性を考慮して低域通過（ローパス）フィルタを構成することである．

❷高周波での漏れ電流の評価は，1 kHz 以上では周波数に比例して電撃閾値が高くなる．

❷漏れ電流の測定値[mA]＝ 電圧測定器の表示電圧[V]/1[kΩ] である．

・電圧測定器で1V と測定された場合，漏れ電流は1 mA とする．

電圧測定器の求められる特性

❷入力インピーダンス：1 MΩ 以上

❷入力容量：150 pF 以下

❷周波数特性：直流から1 MHz までの合成波形に対しての真の実効値を表示

❷精度：±5% 以内

国試　【34回】

　図の MD で電圧測定器の表示値が 50 mV を示した．漏れ電流値はいくつか．

解答

　オームの法則より

　　漏れ電流＝電圧測定器の表示電圧/1 kΩ（R_2 の抵抗値）

　　　　　　＝50 mV/1 kΩ＝50 μA

R_1＝10 kΩ±5%
R_2＝1 kΩ±1%
C_1＝0.015 μF±5%

> **例題**
>
> 　JIS T 0601-1 における漏れ電流測定用器具（MD）において，300 kHz の漏れ電流を測定したところ，電圧測定器の読みが 0.2 V であった．このとき実際に流れた 300 kHz の漏れ電流のおよその値 ［mA］ はいくつか．

> **解答**
>
> 　電圧測定器の読みが 0.2 V であるため，1 kΩ で割ると
>
> 　　0.2[V]/1[kΩ]＝0.2[mA]
>
> 　よって，0.2 mA の電流が流れていることを示している．
>
> 　さらに，漏れ電流測定用器具（MD）の高域遮断フィルタによって減衰していることを考慮すると，実際の 300 kHz の電流値は 0.2 mA の 300 倍である．
>
> 　（人体は 1 kHz 以上で周波数の上昇に比例して感度閾値が上昇するため）
>
> 　0.2[mA]×300 倍＝60[mA]　　が MD に流れた 300 kHz の電撃値となる．

漏れ電流測定用電源ボックス　【33 回】 ─────────────── ★★

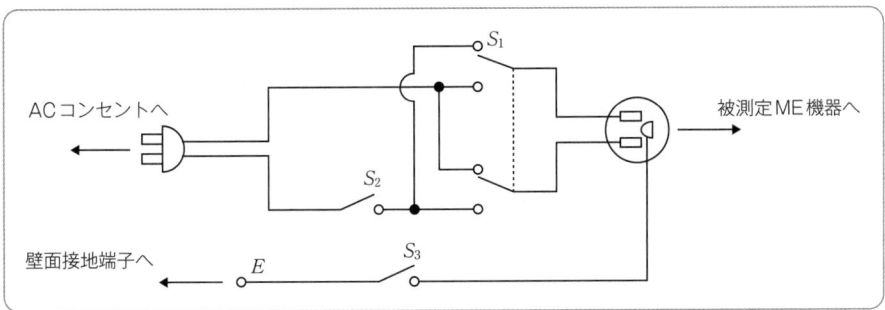

❷スイッチ S_1 の役割：電源極性の切り替え
❷スイッチ S_2 の役割：電源導線 1 本の断線の模擬
❷スイッチ S_3 の役割：保護接地線の断線を模擬

（2）漏れ電流と患者測定電流

○漏れ電流の種類　【35 回】 ──────────────────── ★★

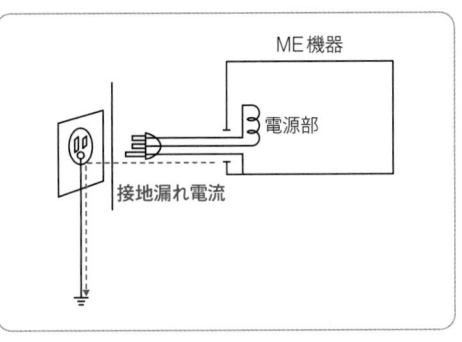

図1　接地漏れ電流
（医用機器安全管理学　第 2 版. 医歯薬出版, p.45, 2015）

医用機器安全管理学
第 2 版
p.44〜52
p.157〜162

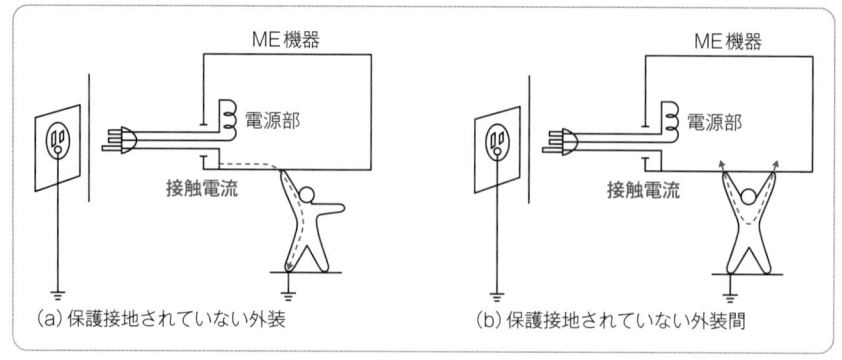

（a）保護接地されていない外装　　　　　（b）保護接地されていない外装間

図2　接触電流
（a：医用機器安全管理学　第2版. 医歯薬出版, p.45, 2015)

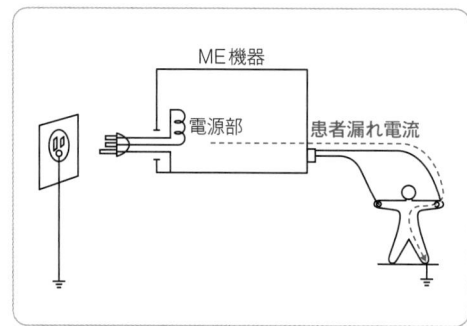

図3　患者接続部から大地への電流
（医用機器安全管理学　第2版. 医歯薬出版, p.45, 2015)

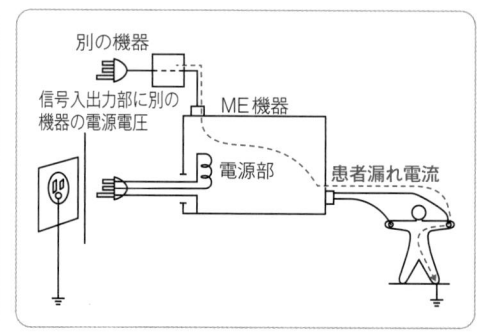

図4　信号入出力部（SIP/SOP）へ外部電圧を印加した
　　場合の電流
（医用機器安全管理学　第2版. 医歯薬出版, p.45, 2015)

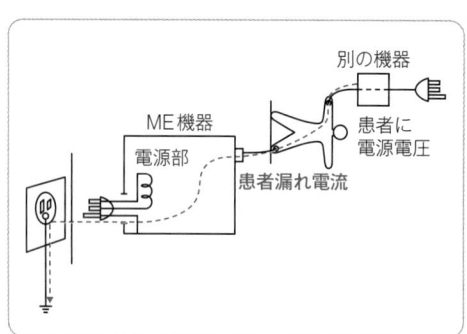

図5　F形装着部の患者接続部へ外部電圧を印加した場
　　合の電流
（医用機器安全管理学　第2版. 医歯薬出版, p.45, 2015)

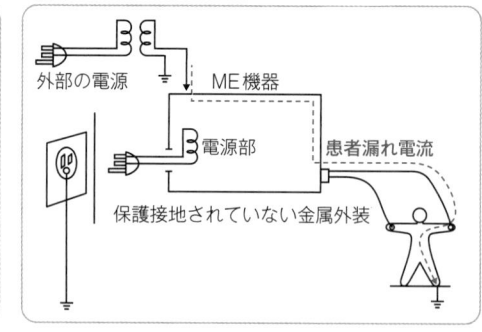

図6　保護接地していない金属の接触可能部分へ外部電
　　圧を印加した場合の電流
（医用機器安全管理学　第2版. 医歯薬出版, p.45, 2015)

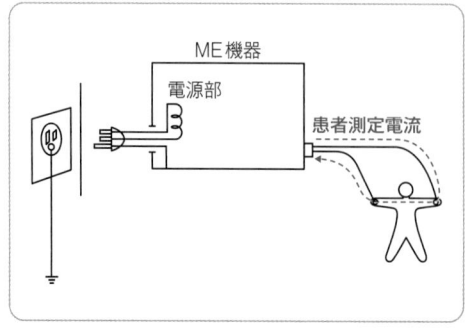

図7　患者測定電流
（医用機器安全管理学　第2版. 医歯薬出版, p.46, 2015)

接地漏れ電流（図1）	保護接地線（アース線）を流れる漏れ電流
接触電流（図2）	保護接地していない機器外装から大地に（操作者などを介して）流れる漏れ電流および保護接地していない外装部分の相互間
患者接続部から大地への電流（図3）	装着部から大地に（患者を介して）流れる漏れ電流
信号入出力部（SIP/SOP）へ外部電圧を印加した場合の電流（図4）	信号入出力部に乗った電源電圧によって装着部から大地に（患者を介して）流れる漏れ電流
F形装着部の患者接続部へ外部電圧を印加した場合の電流（図5）	（F形絶縁）装着部に（患者を介して）乗った電源電圧によって機器から大地に流れる漏れ電流
保護接地していない金属の接触可能部分へ外部電圧を印加した場合の電流（図6）	保護接地されていない接触可能金属部に外部より乗った電源電圧によって大地に流れる漏れ電流
患者測定電流（図7）	装着部の部分間に患者を介して流れる生理学的な効果を意図しない電流 例）増幅器バイアス電流やインピーダンスプレチスモグラフィに使用する電流など

❥ 接地漏れ電流と接触電流（操作者が対象）は「患者に流れない電流」

- 患者装着部を介さない電流のため，患者装着部の分類（形別分類）に関わらず許容値は同一である．

❥ 患者漏れ電流と患者測定電流は「患者に流れる電流」

- 測定は，患者リード線など1本1本と，その全体について測定する（装着部の形式によって測定方法が異なる）．
- 患者装着部を介して患者に流れる電流で，形別分類の電撃の保護の程度［B/BF形装着部（マクロショック対策），CF形装着部（ミクロショック対策）］により許容値が異なる．

○ 漏れ電流と患者測定電流の許容値

漏れ電流の許容値 【35回】【36回】【37回】 ─────────── ★★★

電流	経路		B形装着部		BF形装着部		CF形装着部	
			NC	SFC	NC	SFC	NC	SFC
接地漏れ電流			5,000	10,000	5,000	10,000	5,000	10,000
接触電流			100	500	100	500	100	500
患者漏れ電流	患者接続部から大地への電流	直流	10	50	10	50	10	50
		交流	100	500	100	500	10	50
	SIP/SOPへ外部電圧を印加した場合の電流	直流	10	50	10	50	10	50
		交流	100	500	100	500	10	50
合計患者漏れ電流	一緒に接続した同一形装着部からの電流	直流	50	100	50	100	50	100
		交流	500	1,000	500	1,000	50	100
	SIP/SOPへ外部電圧を印加した場合の電流	直流	50	100	50	100	50	100
		交流	500	1,000	500	1,000	50	100
患者測定電流		直流	10	50	10	50	10	50
		交流	100	500	100	500	10	50

NC（nomal condition）：正常状態，SFC（single fault condition）：単一故障状態．
SIP（signal input part）：信号入力，SOP（signal output part）：信号出力，SIP/SOP：外部入出力電圧
※単位：μA
（JIS T 0601-1：2017をもとに作成）

❥ 外部から装着部への電流の流入に対する保護にはF形絶縁装着部が有効である．

○特別な試験条件下の患者漏れ電流の許容値

電流	経路	B形装着部	BF形装着部	CF形装着部
患者漏れ電流	F形装着部の患者装着部へ外部電圧を印加した場合の電流	非該当	5,000 μA	50 μA
	保護接地していない金属の接触可能部分へ外部電圧を印加した場合の電流	500 μA	500 μA	―
合計患者漏れ電流	F形装着部の患者装着部へ外部電圧を印加した場合の電流	非該当	5,000 μA	100 μA
	保護接地していない金属の接触可能部分へ外部電圧を印加した場合の電流	1,000 μA	1,000 μA	―

（JIS T 0601-1：2017 より抜粋）

○単一故障状態 【34回】【35回】【36回】【37回】

- ●絶縁のいずれか1つの短絡
  - ・二重絶縁の補強絶縁または基礎絶縁の短絡も含む.
- ●沿面距離または空間距離のいずれか1つの短絡
  - ・たとえば，装置内に生理食塩水が浸入し通電してしまった　など
- ●絶縁，空間距離または沿面距離と並列に接続している高信頼性部品以外の部品の短絡および開路
- ●保護接地線または内部保護接地接続の開路
  - ・外れることがほとんどない永久接地形ME機器は適用しない.
- ●電源導線のいずれか1本の断線：接地漏れ電流の唯一の単一故障状態.
- ●部品の意図しない移動
- ●危険状態に結びつく導線およびコネクタの偶然の外れによる破損
  - ・ME機器の導線およびコネクタは，偶然に外れても危険状態を生じないように確実に固定するかまたは絶縁する.
  - ・接続部で外れて支持部の周りを動いて回路に接触し，危険状態を生じる場合は，適切に固定したとはみなさない.
  - ・機械的な固定手段の1つが外れることは，単一故障状態とみなす.

※「強化絶縁の短絡」は単一故障状態ではない！
　強化絶縁は，二重絶縁と同等である.
　しかし，二重絶縁の一方の短絡は単一故障状態となるが，強化絶縁は一重対策のため，強化絶縁の短絡は，単一故障を越えた状態で，二重絶縁の両方の短絡と同じになり，単一故障状態とはいえない.

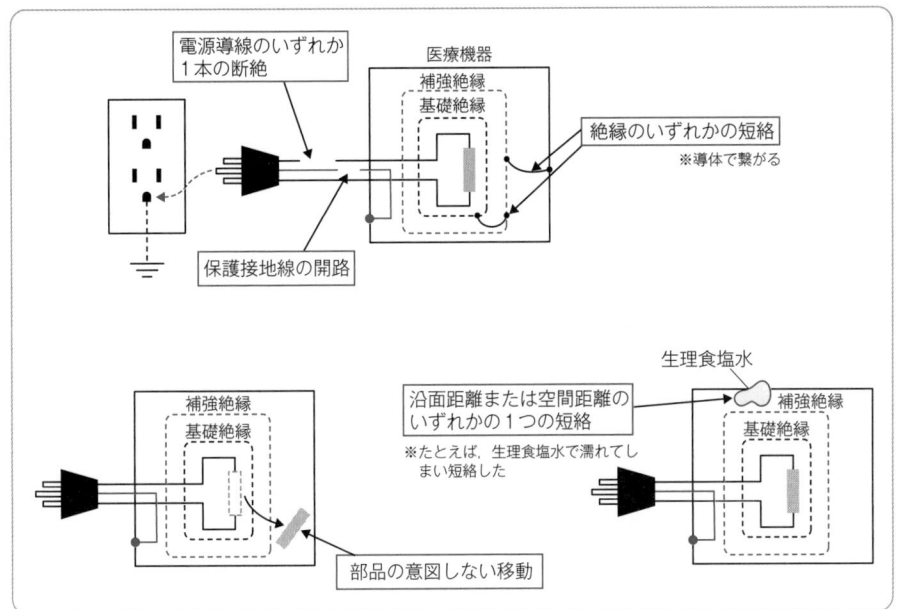

図 単一故障状態

注）同時に複数の単一故障状態が起こることは想定していない.

〇漏れ電流の測定方法 ─────────────────────── ★

❥接地漏れ電流測定は，電流の正極性と逆極性の値を測定し，大きい方の値をその機器の漏れ電流値とする.

❥接地漏れ電流の単一故障状態は，機器の電源導線の1本の断線を模擬して測定する.

❥絶縁材料製の外装を有する機器は，10 cm×20 cm の金属箔を機器外装表面に密着させ，これを外装として測定する.

❥接触可能金属部は工具を使わずに接触できる金属部分である.

❥測定（右図参照）
　・接地漏れ電流：B−A間
　・患者漏れ電流：E−A間
　・外装漏れ電流：C−A間

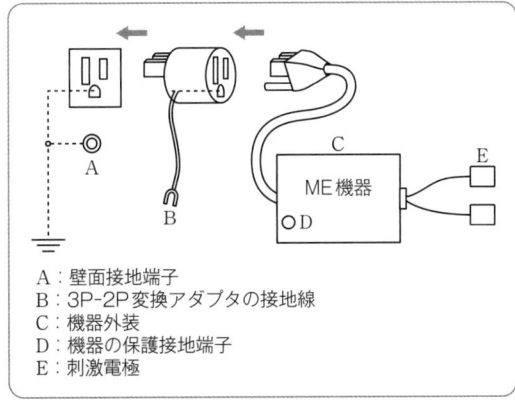

A：壁面接地端子
B：3P-2P変換アダプタの接地線
C：機器外装
D：機器の保護接地端子
E：刺激電極

臨床工学技士国家試験　第27回午前問題42より

○患者測定電流の測定方法

患者測定電流 ──────────────────────────────── ★

- ❯装着部間に流れる電流である.
- ❯測定用器具（MD）を装着部の 2 本のリード線間に挿入して測定する.
- ❯増幅器のバイアス電流は患者測定電流である.
- ❯インピーダンスプレチスモグラフの測定電流は患者測定電流である.
- ❯生理的な効果を意図しない電流である.

医用機器安全管理学
第 2 版
p.162

（3）保護接地線抵抗

○保護接地線抵抗の規定値 ───────────────── ★

- ❯保護接地設備はすべての医用室で必要である.
- ❯保護接地線の被覆の色は緑と黄の縞模様である.
- ❯保護接地線の日常点検はテスタによる導通テストで十分である.
- ❯保護接地線抵抗
  - ・着脱可能なコード：0.1 Ω（100 mΩ）以下
  - ・着脱不可能なコード：0.2 Ω（200 mΩ）以下
- ❯3P プラグ機器アースピンと機器金属ケースとの間の抵抗は 0.2 Ω 以下でなければならない.

○保護接地線抵抗の測定方法 【33 回】【35 回】【36 回】【37 回】 ── ★★★

- ❯導通試験は市販のテスタによって行う.
- ❯電圧降下法によりインピーダンスを算出する.
- ❯通電時間は 5〜10 秒間である.
- ❯現場では約 1 A の電流を流して簡易的に測定してもよい.
- ❯試験用電源の容量は，電源部から 25 A もしくは，機器の定格電流の 1.5 倍の電流のどちらか大きい方の電流を流す必要がある.
- ❯試験用電源の周波数は 50 Hz または 60 Hz.
- ❯試験用電源の無負荷出力電圧は 6 V 以下を用いる.

例題

　定格電圧 100 V，消費電力 1,000 W の医用電気機器の接地線抵抗を測定するときに JIS T 0601-1 で定めている測定電流［A］はいくつか.

解答

　保護接地線を測定する際は，「無負荷電圧が 6 V を超えない 50 Hz または 60 Hz の電源から，25 A または対象となる ME 機器の定格電流の 1.5 倍のどちらか高い方の電流を 5〜10 秒間以上接地線に流しうるものを使用する」ことになっている.

　定格電圧 V，消費電力 P，定格電流 I より

$I = P/V = 1,000\,[\mathrm{W}]/100\,[\mathrm{V}] = 10\,[\mathrm{A}]$ → 1.5 倍すると，15［A］となる.

　よって，この場合の測定電流は 25［A］となる.

> **例題**
>
> 　定格電流 15 A の ME 機器の保護接地回路抵抗を JIS T 0601-1 に基づいて測定したところ，電圧計の表示値が 1.0 V であった．この ME 機器の接地線抵抗 [mΩ] はいくつか．
>
> **解答**
>
> 　定格電流 15 A の 1.5 倍では 22.5 A となるため，今回の定格電流は 25 [A] となる．
> 　よって，$R = V/I = 1.0 [\mathrm{V}]/25 [\mathrm{A}] = 0.04 [\Omega] = 40 [\mathrm{m}\Omega]$

> **国試** 【21 回】【30 回】
>
> 　図の四端子法によって被測定線 R の抵抗を測定した．電流計の指針が 0.25 A，内部抵抗 1 MΩ の電圧計の指針が 0.05 V であった．被測定線 R の抵抗値はいくつか．
> 　ただし，$r_1 \sim r_4$ は測定リードの抵抗および接続部の接触抵抗である．
>
>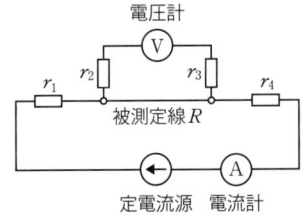
>
> 電圧計
>
> 被測定線 R
>
> 定電流源　電流計
>
> **解答**
>
> 　電圧計の内部抵抗が十分高いので，電圧計回路の電流は十分に小さいから r_2，r_3 での電圧降下は無視できるほど小さく，電圧計の表示値は抵抗の電圧に十分に等しくなる．
> 　また，r_1，r_4 があっても，電流計を通る電流はすべて抵抗 R を通り電圧降下を起こす．
> 　すべての接触抵抗の影響を除いて，$R = V/I = 0.05 [\mathrm{V}]/0.25 [\mathrm{A}] = 0.2 [\Omega]$

（4）その他

クランプ型電流計 ────────────────────────── ★

- 洗濯ばさみのような形状をしたクランプと呼ばれる部分に測定したい電線を挟み込むことで，磁場より電線の中に流れる電流の数値を測定することができる．
- そのため，電源導線から電流を測定するためには，2 本の電源導線のいずれか 1 本の導線で測定する必要がある．

医用機器安全管理学
第 2 版
p.152〜153

問題 1 　□□□ 　　　　　　29P41

JIS T 0601-1：2012 で規定する保護接地線インピーダンス測定方法について誤っているのはどれか.

1. 無負荷時の試験用電圧は 6 V 以下を用いる.
2. 試験用電源の周波数は 50 Hz または 60 Hz を用いる.
3. 試験用電流は 15 A を用いる.
4. 保護接地線に最大電流を 5～10 秒間流す.
5. 電圧降下法によりインピーダンスを算出する.

問題 4 　□□□ 　　　　　　36A41

JIS T 0601-1 で規定されている漏れ電流測定用器具（MD）について正しいのはどれか.

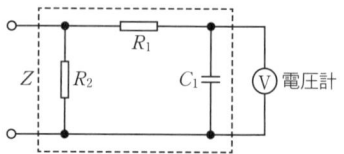

a. R_2 は 1 kΩ である.
b. C_1 は 0.015 μF である.
c. R_1 と C_1 で高域通過フィルタを構成している.
d. 点線内の合成インピーダンス Z は約 10 kΩ となる.
e. 漏れ電流の値は電圧計の指示値を R_2 で除した値となる.

1. a, b, c 　2. a, b, e 　3. a, d, e
4. b, c, d 　5. c, d, e

問題 2 　□□□ 　　　　　　29A40

JIS T 0601-1：2012 において，B 形装着部と CF 形装着部の許容値（交流）が同じなのはどれか.

a. 患者接続部から大地への患者漏れ電流
b. 接地漏れ電流
c. 接触電流
d. 患者測定電流
e. 信号入出力部へ外部電圧を印加した場合の患者漏れ電流

1. a, b 　2. a, e 　3. b, c 　4. c, d 　5. d, e

問題 5 　□□□ 　　　　　　27A40

患者測定電流はどれか.

1. パルスオキシメータの赤色 LED の点灯電流
2. インピーダンス式呼吸モニタの電極間に流れる電流
3. 低周波治療器の 2 つの刺激電極間に流れるパルス電流
4. 心電計の胸部誘導電極から患者を介して大地に流れる電流
5. 双極式ペースメーカのカテーテル電極間に流れるパルス電流

問題 3 　□□□ 　　　　　　32A42

JIS T 0601-1 における漏れ電流測定用器具（MD）において，100 kHz の漏れ電流を測定したところ，電圧測定器の読みが 0.1 V であった. このとき実際に流れた 100 kHz の漏れ電流のおよその値 [mA] はどれか.

1. 　0.01
2. 　0.1
3. 　1
4. 　10
5. 　100

問題 6 　□□□ 　　　　　　26A41

JIS T 0601-1：1999 による電気的安全性点検方法について正しいのはどれか.

a. 漏れ電流は電源プラグを正極性として測定する.
b. 絶縁外装の機器は接触電流を測定する必要がない.
c. F 形装着部の患者装着部へ外部電圧を印加した場合の漏れ電流では，B 形装着部は測定する必要がない.
d. 患者測定電流は測定器を装着部の 2 本のリード線間に挿入して測定する.
e. 接地漏れ電流の単一故障状態は保護接地線の断線を模擬して測定する.

1. a, b 　2. a, e 　3. b, c 　4. c, d 　5. d, e

問題 7 ☐☐☐ 25P41 改

医療機器の電気的安全測定について正しいのはどれか.

1. アナログテスタを用いた導通試験で表示される値が接地線抵抗値となる.
2. クランプメータによる消費電流の測定は電源導線を2本挟んで測定する.
3. 漏れ電流測定に用いる電圧計の精度は10%以内である.
4. 等電位接地設備の接地端子と医用接地センタの間の抵抗は0.1Ω以下である.
5. CF形装着部の患者漏れ電流（患者接続部から大地）では，各患者リードを1点に接続した状態で測定する.

問題 8 ☐☐☐ 31P39

正常状態の許容値が 10 μA なのはどれか.

a. CF形装着部の接触電流
b. CF形装着部の患者測定電流（交流の場合）
c. BF形装着部の患者漏れ電流（直流の場合）
d. B形装着部の患者測定電流（直流の場合）
e. CF形装着部の合計患者漏れ電流（交流の場合）

1. a, b, c　2. a, b, e　3. a, d, e
4. b, c, d　5. c, d, e

問題 9 ☐☐☐ 25A39

医用機器からの漏れ電流について正しいのはどれか.

a. 患者漏れ電流（患者接続部から大地）の単一故障状態の許容値は正常状態の2倍である.
b. 患者漏れ電流（SIP/SOPへ外部電圧を印加した場合）はBF形とCF形とにおいて規定されている.
c. 患者測定電流の直流の許容値はBF形とCF形とで同じである.
d. 接地漏れ電流に関する単一故障状態は電源導線の1本の断線である.
e. 接地漏れ電流の単一故障状態の許容値は正常状態の5倍である.

1. a, b　2. a, e　3. b, c　4. c, d　5. d, e

問題 10 ☐☐☐ 30P41

JIS T 0601-1：2014 において，患者装着部の分類によって許容値が変わらないのはどれか.

a. 患者接続部からの大地への漏れ電流
b. SIP/SOPへ外部電圧を印加した場合の電流
c. 接触電流
d. 接地漏れ電流
e. 患者漏れ電流

1. a, b　2. a, e　3. b, c　4. c, d　5. d, e

問題 11 ☐☐☐ 35A41

図の測定器具 MD について正しいのはどれか.

a. R_1 と C_1 でローパスフィルタを形成している.
b. R_2 は人体の代表抵抗値を模擬している.
c. R_2 の抵抗値は 10 kΩ である.
d. 電圧測定器の入力インピーダンスは 10 kΩ 以上である.
e. 電圧測定器の入力容量は 150 pF 以下である.

1. a, b, c　2. a, b, e　3. a, d, e
4. b, c, d　5. c, d, e

問題 12 ☐☐☐ 34P43

JIS T 0601-1 における漏れ電流測定で使用する電圧測定器に必要な性能はどれか.

a. 指示誤差が ±5%以内である.
b. 入力容量が 150 pF 以下である.
c. 入力抵抗が 1 MΩ 以上である
d. 出力抵抗が 10 kΩ 以上である.
e. 測定できる周波数の上限は 10 MHz である.

1. a, b, c　2. a, b, e　3. a, d, e
4. b, c, d　5. c, d, e

定格電圧 100 V，消費電力 500 W の医用電気機器の接地線抵抗を測定するときに JIS T 0601-1 で定めている測定電流 [A] はどれか．

1. 10
2. 15
3. 20
4. 25
5. 30

定格電流が 12 A の ME 機器の保護接地線の抵抗測定で，JIS T 0601-1 で規定されている測定電流値 [A] はどれか．

1. 12
2. 15
3. 18
4. 24
5. 25

定格電流 10 A の ME 機器の保護設置回路抵抗を JIS T 0601-1 に基づいて測定したところ電圧計の表示値が 1.5 V であった．この ME 機器の接地線抵抗 [mΩ] はどれか．

1. 60
2. 75
3. 100
4. 120
5. 150

図の漏れ電流測定において JIS T 0601-1 で規定する正常状態の許容値 [μA] はどれか．

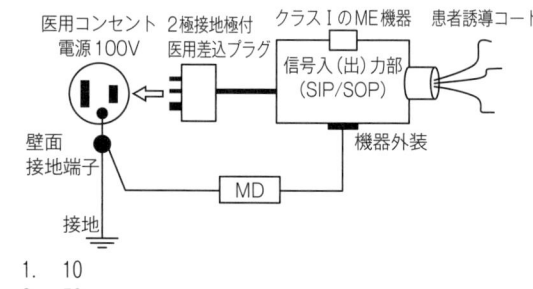

1. 10
2. 50
3. 100
4. 200
5. 500

JIS T 0601-1 で規定する電気的な単一故障状態でないのはどれか.

1. モータ用コンデンサの短絡
2. 絶縁のいずれか一つの短絡
3. 電源導線のいずれか 1 本の断線
4. 沿面距離または空間距離のいずれか一つの短絡
5. 保護接地線または ME 機器内部の保護接地接続の開路

ME 機器の正常状態における接地漏れ電流の許容値 [μA] はどれか.

1. 100
2. 500
3. 1000
4. 5000
5. 10000

JIS T 0601-1 で規定する漏れ電流測定用器具（MD）を構成するフィルタはどれか.

1. ノッチフィルタ
2. ローパスフィルタ
3. ハイパスフィルタ
4. バンドパスフィルタ
5. バンドエリミネーションフィルタ

JIS T 0601-1 における保護接地線抵抗の測定方法において規定されていないのはどれか.

1. 温　度
2. 通電時間
3. 電圧値
4. 電流値
5. 周波数

〈解答〉問題 1-3，問題 2-3，問題 3-4，問題 4-2，問題 5-2，問題 6-4，問題 7-4，問題 8-4，問題 9-4，問題 10-4，問題 11-2，問題 12-1，問題 13-4，問題 14-1，問題 15-5，問題 16-3，問題 17-1，問題 18-2，問題 19-4，問題 20-1

（1）安全管理業務

医用機器安全管理学
第2版
　p.145〜147

○受入試験 【37回】 ────────────────────────── ★★

〈工学的評価（ベンチテスト）〉

❥納入機器が意図した性能や安全性，操作性を持っているかをテストする．

❥納品段階で簡単な受け入れ試験を行い性能を確認する．

❥納入後，一定の使用経験の期間（2〜3週間）中に評価する．

〈臨床的評価〉

❥実際の医療機器をデモし，使用する．

❥選定段階で機器の試用テストを行い操作性を確認する．

〈購入評価〉

❥仕様決定

❥機器調査

（2）保守点検管理業務

医用機器安全管理学
第2版
　p.146〜147
　バスタブカーブ
　p.126〜129
　信頼度，アベイラ
　ビリティ，バスタ
　ブカーブ

○廃棄，更新

　バスタブカーブ（故障率曲線） 【33回】 ─────────────── ★★

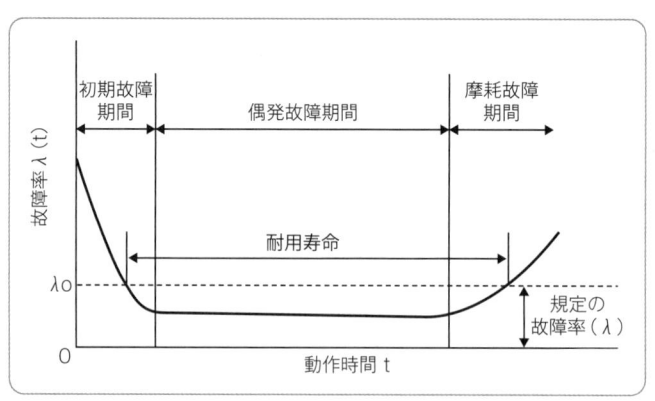

❥機器の故障率は購入初期が最も大きい．

❥故障率は偶発故障期間のより初期故障期間の方が大きい．

❥故障率の時間的な変化が比較的少ないのは偶発故障期間である．

❥初期故障期間は，比較的早い時期に設計・製造上の欠点・使用環境などの不適合などによって起こり，時間とともに低下する．

　医療機器を廃棄する指標 【37回】 ──────────────────── ★★

❥機能の陳腐化（廃棄評価）

❥平均故障間隔の短縮

❥アベイラビリティの低下

❥定期点検頻度の増加

アベイラビリティ（稼働時間）【33回】【35回】【36回】 ━━━━━━━ ★★★

〈平均故障間隔（MTBF；mean time between failure）〉

❯ システムが故障してから，次に故障するまでの平均時間．

❯ 故障と故障の間の無故障時間．

❯ システムが稼動している平均時間．

❯ $\text{MTBF} = \dfrac{\text{ある期間で動いていた日数}}{\text{ある期間で動いていた回数}}$

❯ 廃棄処分のタイミングを知る指標

〈平均修理時間（MTTR；mean time to repair，MDT；mean down time）〉

❯ 動作不能時間．

❯ システムを修理している平均時間．

❯ $\text{MTTR} = \dfrac{\text{ある期間で故障していた日数}}{\text{ある期間で故障していた回数}}$

〈定常アベイラビリティ（稼働率）〉

❯ システムが正常に動作している時間の割合．

❯ 定常アベイラビリティ $= \dfrac{\text{動作可能時間}}{\text{動作可能時間}+\text{動作不能時間}} = \dfrac{\text{MTBF}}{\text{MTBF}+\text{MTTR}}$

❯ 定常アベイラビリティは 1 に近いほど，無故障期間が長い．

❯ $0 \leqq$ 定常アベイラビリティ $\leqq 1$　：1 よりも大きくなることはない．

例題

　ある機器の平均故障間隔（MTBF）が 144 日，平均故障時間（MTTR）が 6 日であるとき，定常アベイラビリティはいくつか．

解答

　定常アベイラビリティ＝144/（144＋6）＝144/150＝0.96

国試　【30回】

　図のように使用と修理を繰り返している ME 機器のアベイラビリティはいくつか．

使用期間	修理期間	使用期間	修理期間	使用期間	修理期間	使用期間
30 日	10 日	20 日	15 日	70 日	5 日	40 日

解答

　MTBF＝（30＋20＋70＋40）/4＝40 日

　MTTR＝（10＋15＋5）/3＝10 日

　定常アベイラビリティ＝40/（40＋10）＝0.8

○ 保守点検の種類と実例　【37回】 ──────────────────────────── ★★

- ❷ 保守点検には「日常点検」，「定期点検」，「故障点検」があり，それぞれチェックリストに従って行われることが望ましい．
- ❷ 保守点検は，清掃・校正・消耗部品の交換などに分類されている．
  - ・人工呼吸器のバクテリアフィルタの交換：消耗品の交換
  - ・輸液ポンプの送液流量精度の測定：精度（誤差）の測定は校正
  - ・心電計の記録器の校正：校正
  - ・体外式除細動器の外装の清掃：清掃
  - ・キャリブレーション（校正）：校正
- ❷ 保守点検に，清掃，校正，消耗部品の交換，頻度は決められていない．
- ❷ オーバーホールは「保守点検」には含まない：修理に含まれる．
  - ・人工透析装置の劣化した医用 3P プラグの交換：劣化部品の交換はオーバーホールに含まれる．

日常点検

- ❷ 日常的に機器を使用する者が外観，作動点検を行うべきである．

〈始業点検〉

- ❷ 機器の使用に先立って行われる点検．
- ❷ 時間的な制約があるので，安全性の確認や設定通りの動作の確認など最低必要な点検を行う．
- ❷ 使用前の基本的な性能を確保するために行う．

〈使用中点検〉

- ❷ 患者に異常がないか注意して監視する．
- ❷ 機器が正常に動作しているか，輸液のレベル，加湿器やウォータトラップの水位などを監視し，設定や動作が指示通りであるかの確認も行う．

〈終業点検〉

- ❷ 患者状態の確認や機器の故障や劣化の発見，機器の清掃・部品の洗浄や消毒などを行う．
- ❷ 次の使用に備えて動作チェックや回路の準備を行い，清潔な場所に保管する．

定期点検　【36回】 ──────────────────────────────── ★★

- ❷ 日常点検とは異なり，年に数回の頻度で使用された医療機器を詳細に点検する．
- ❷ 医療機器メーカが推奨する消耗部品を交換することで，次回の定期点検まで性能の維持を確保するために行われる点検．
- ❷ 機器の性質や性能などにより細部の点検項目は異なるものの大きく分類すると，電気的安全性点検，外観点検，機能点検，性能点検から構成される．
  - ・安全性点検：医療など安全性を確保するための点検であり，定期的に行われる点検や，不具合が発生した点検を含む．安全性点検にてオーバーホールは行わない．
  - ・外観点検：筐体，ラベルなどにキズ，汚れ，変形などがないかを確認し汚れなどがあった場合は清拭する．
  - ・機能（作動）点検：使用前に機器の基本性能や安全確保のために行う点検であり，各種安全装置・警報装置の確認，動作点検を行う．
  - ・性能点検：医療機器メーカの定めた流量の精度や検出圧力，警報表示などが正常にされるかなど定量性試験を行う．

- ❯臨床工学技士や業者などの専門家によって行われることが望ましい.
- ❯機器の寿命を見極めるために，耐用年数の確認や故障率の判定などと同時に，定期点検の頻度や点検内容の見直しも行う.
- ❯定期点検の期間や項目はメーカにより決められている.
- ❯機器の更新や廃棄などの処分も検討する.

故障点検 【36回】 ────────────────────────────── ★★

- ❯故障が発見されたときに行う点検である.
- ❯原因究明までにとどめ，安易に修理しない.
- ❯操作ミスなのか機器の故障なのかを判別する.
- ❯操作ミスならば操作者の教育・訓練を行い，機器の故障の場合はその程度により院内で修理するか業者に依頼するかを検討する.
- ❯機器の安全性が確保できない場合は無理をせず，業者に修理を依頼する.

IABP（大動脈内バルーンパンピング）の日常点検

点検項目	点検内容
始業点検	外装点検 ヘリウムガスの残量確認（ボンベ圧確認） 充電確認 トリガ信号の確認
使用中点検	外装点検（つまみやスイッチなど） IABP表示画面の確認 駆動電源の確認 トリガ入力信号の確認 ヘリウムガスの残量確認
終業点検	外装点検 使用物品の返却の有無 ヘリウムガスの残量確認（ボンベ圧確認） 充電動作確認

保育器の院内保守点検

- ❯使用中点検で滅菌水の水位を確認する.
- ❯終業後に本体を消毒する.
- ❯定期点検で接地漏れ電流を測定する.

輸液ポンプの保守点検

- ❯流量の設定の確認
- ❯閉塞検出圧の点検
- ❯バッテリ警報の確認
- ❯気泡混入警報の確認
- ❯閉塞警報の確認
- ❯流量異常警報の確認
- ❯ブザーおよび表示ランプの点灯の確認

シリンジポンプの保守点検
- ❯漏れ電流の測定
- ❯閉塞の検出
- ❯内蔵バッテリの確認
- ❯流量の精度の確認
- ❯輸液完了警報の確認

機器の点検項目と必要な器材
- ❯除細動器の出力波形――オシロスコープ
- ❯輸液ポンプの輸液量の精度――メスシリンダ
- ❯人工心肺の絶縁抵抗――メガー
- ❯ペースメーカの出力パルス振幅――500Ωの負荷抵抗＋オシロスコープ，ペースメーカアナライザ．
- ❯電気メスの出力電力―― 500Ωの無誘導抵抗器

安全管理技術
- ❯漏れ電流の測定は医療機器使用中には行わない．
- ❯始業点検はまず外観点検を行い，続いて校正信号などによる動作点検を行う．
- ❯定期点検における点検周期は機器の使用頻度で異なる．
- ❯ガス流量の測定は定期点検で行う．

取扱説明書に記載されている内容
- ❯機器の理解に必要な原理
- ❯据え付けの実際
- ❯付属品および着脱可能な材料に関する指定
- ❯使用前の準備
- ❯定期点検に実際にすべき点検
- ❯製造業者の責任
- ❯信号出力部および信号入力部
- ❯患者と接触する部分の清掃，消毒および滅菌方法
- ❯一次電池の取り外し
- ❯環境保護

その他
- ❯患者に誘導コードを装着する前に電源スイッチを入れる．
- ❯ホースアセンブリは，毎回使用するときに使用する．
- ❯ロータ型浮遊の流量計では上部の目盛りを読む．
- ❯ボール型浮遊の流量計では，ボールの中心部の目盛りを読む．
- ❯医療機器は 3P プラグを使用しているので，3P のテーブルタップを使用する．

問題 1　□□□　29A43

図のバスタブカーブ（故障率曲線）において偶発故障期間はどれか.

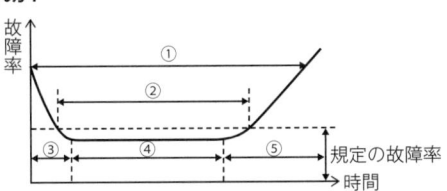

1. ①
2. ②
3. ③
4. ④
5. ⑤

問題 4　□□□　35A44

機器やシステムの信頼性について正しいのはどれか.

- a. 機器を直列に接続するとシステムの信頼度は低下する.
- b. 定常アベイラビリティは機器が利用できる時間的割合を表す.
- c. MTBF は修理に要した時間の平均値を表す.
- d. MTTR は故障と故障との間の無故障時間の平均値を表す.
- e. 故障率は初期故障期間より偶発故障期間の方が高い.

1. a, b　2. a, e　3. b, c　4. c, d　5. d, e

問題 2　□□□　25A41

医療機器の保守点検に含まれないのはどれか.

1. 清　掃
2. 校　正
3. 滅　菌
4. 消耗品の交換
5. オーバーホール

問題 5　□□□　33P41

ある機器の平均故障間隔（MTBF）が 180 日，平均故障時間（MTTR）が 10 日であるとき，定常アベイラビリティはどれか.

1. $\dfrac{1}{19}$

2. $\dfrac{1}{18}$

3. $\dfrac{1}{17}$

4. $\dfrac{17}{18}$

5. $\dfrac{18}{19}$

問題 3　□□□　23P41

輸液ポンプの保守点検項目はどれか.

1. 閉塞圧
2. 薬液濃度
3. 自然滴下速度
4. ポンプ駆動圧
5. 出力エネルギー

問題 6　□□□　36P41

ME 機器の保守点検で正しいのはどれか.

1. 外観点検は機器に手を触れずに目視で行う.
2. 作動点検は患者に使用する前までの点検のことをいう.
3. 安全性点検は機器のオーバーホールを含む.
4. 性能点検は機器の定性的試験のことをいう.
5. 故障点検は故障原因究明を目的とする.

ある ME 機器の定常アベイラビリティが 0.9，MTTR が 20 日のとき，MTBF［日］はどれか．

1. 100
2. 130
3. 180
4. 220
5. 310

ME 機器の保守点検に含まれないのはどれか．

1. 血液浄化装置の外装の清拭
2. 輸液ポンプの流量精度の測定
3. 人工呼吸器のバクテリアフィルタの交換
4. カプノメータ表示値の標準ガスでの校正
5. 人工心肺装置の劣化した電源プラグの修理

医療機器の安全管理業務とその評価との組合せで誤っているのはどれか．

1. 機種選定の検討───経済的な評価
2. 受け入れ試験────臨床的な評価
3. 教育・訓練─────ベンチテストによる評価
4. 保守点検──────稼働率による評価
5. 廃　棄──────MTBF による評価

〈解答〉問題 1-4，問題 2-5，問題 3-1，問題 4-1，問題 5-5，問題 6-5，問題 7-3，問題 8-3，問題 9-5

（1）医療ガスの種類

医用機器安全管理学
第2版
　p.81〜85

○ **酸素，亜酸化窒素，窒素，空気，二酸化炭素，ヘリウム**

医療ガスの種類と性質 【35回】【37回】 ─────── ★★

ガスの種類	比重 （対空気）	ボンベ 内状態	燃焼性	用途	副作用	沸点 ℃	臨界温度 ℃	臨界圧力 （気圧）
酸素	少し重い (1.105)	気体	支燃性	呼吸療法， 麻酔	未熟児網膜症	−183	−118.8	49.7
亜酸化窒素 （笑気）	重い (1.5)	液体	支燃性	麻酔	造血機能低 下，神経障害	−89.5	36.5	71.7
空気	─ (1.00)	気体	支燃性	呼吸療法		−191.4	−140.7	37.2
窒素	少し軽い (0.97)	気体	なし	機器の 駆動源		−195.8	−147.2	33.5
炭酸ガス	重い (1.53)	液体	なし	内視鏡下 手術	昏睡，意識障 害	−78.2	31.0	72.8
酸化 エチレン	重い (1.50)	気体	爆発性	EOG滅菌	目，鼻，喉の 粘膜損傷	10.7	195.8	7.19
ヘリウム	軽い (0.13)	気体	なし	IABP		−268.9	−267.9	2.26

> ❯窒素ガスは外科用手術装置の駆動源として用いられている．
> ❯合成空気の組成は酸素22%，窒素78%である．
> ❯酸化エチレンにはエーテル臭がある．
> ❯酸素の比重は空気より大きい．

亜酸化窒素（笑気）

> ❯非引火性である．
> ❯無刺激性である．
> ❯ボンベに液体で充填されている．
> ❯支燃性がある．
> ❯沸点は酸素よりも高い．
> ❯ガス残量はボンベの重さで計る．
> ❯加熱により酸素が発生する（支燃性）．

（2）高圧ガス保安法

医用機器安全管理学
第2版
　p.85〜86

○ **貯蔵，移動，消費の安全基準** ─────── ★

高圧ガス法における貯蔵

> ❯周囲2m以内に引火性物がないこと．
> ❯周囲温度は約40℃以下であること．
> ❯風通しのよい場所であること．
> ❯充填容器と残ガス容器などの区別ができること．
> ❯可燃性ガスなどはそれぞれ区別して容器置き場におくこと．

❥液化ガスボンベは立てて使用する.

❥転倒を防止する措置があること.

○ ボンベ内ガス残量 【34回】【35回】 ─────────────────── ★★

酸素（O_2）ボンベ内圧と残量計算

❥酸素ボンベ残量 $[L] = \dfrac{\text{圧力調整器の圧力} [MPa]}{0.1 [MPa]} \times \text{ボンベ内容量} [L]$

❥大気圧（1 atm）はおよそ 0.1 MPa.

❥酸素ボンベの未使用時（満充填時）の圧力は 15 MPa（$\fallingdotseq$150 kgf/cm^2）.

例題

　内容積 10 L の酸素ボンベの圧力調整器が 8 MPa を示している. 5 L/分の流量で酸素を投与した場合の投与可能時間はおよそ何分か.

解答

　酸素ボンベ残量 [L]＝(8[MPa]/0.1[MPa])×10[L]＝800[L]

　5 L/分で酸素を投与した場合の投与可能時間は, 800[L]÷5[L/分]＝160[分]となる.

例題

　酸素流量 5 L/分で 15 時間投与したい酸素ボンベ内圧は何 MPa 必要か. ただし, 容器の内容量は 40 L とする.

解答

　投与に必要な酸素量は 5[L/分]×（60 分×15 時間）＝4,500[L]

　ここで, 4,500[L] の酸素が 40[L] ボンベに充填されていることから, 充填圧力は

　4,500[L]/40[L]＝112.5[atm].

　1 atm＝0.1 MPa より, 112.5[atm]×0.1[MPa]＝11.25[MPa] 必要となる.

例題

　室温が 17℃ で 15 MPa に充填された酸素ボンベの保管場所の温度が 47℃ へ上昇したとき, ボンベ内の圧力変化 [kPa] はおよそいくらか.

解答

　シャルルの法則により, $V/T=$ 一定　となる. よって, $V_1/T_1=V_2/T_2$ となる.

　設問より, T_1：290 K（＝17℃＋273℃）, V_1＝15 MPa, T_2：320 K（＝47℃＋273℃）, V_2 の解を求める.

　15/290＝V_2/320　→　$V_2 \fallingdotseq$ 16.6[MPa] となる.

　変化分は, 16.6[MPa]－15[MPa]＝1.6[MPa]＝1,600[kPa]となる.

例題

酸素を5 L/分で12時間投与する場合，最小限必要となるボンベ本数は何本か．ただし，ボンベの充填圧は15 MPa，内容量は3.5 Lとする．

解答

必要酸素量 = 投与流量 × 投与時間より，5 L/分 ×12時間 ×60分 =3,600 L

ボンベの酸素量 = 内容量 × 充填圧/標準状態の圧力より，3.5 L×15 MPa/0.1 MPa=525 L

必要ボンベ数 = 必要酸素量/ボンベ酸素量より，3,600 L/525 L≒6.86本

よって，7本必要となる．

亜酸化窒素（N_2O）ボンベの計算

＜液化亜酸化窒素の量の簡易計算＞

➋亜酸化窒素の重量（内容量）[g] × 540＝亜酸化窒素の体積[L]

例題

W54と刻印された亜酸化窒素ボンベの重量が98 kgであった．ボンベ内の亜酸化窒素のおよその残量はいくつか．

ただし，亜酸化窒素の分子量は44，1 molの亜酸化窒素の体積は0℃，1気圧で22.4 Lとする．

解答

亜酸化窒素はボンベ内は液体成分のため，ボンベ内の重さ[kg]を体積[L]に変換する．

ボンベ全体の重さ98 kgからボンベの重さ54 kgを引くとボンベ内の亜酸化窒素の重さは44 kg（=44,000 g）となる．

ボンベ内にある亜酸化窒素は44,000 [g]/44 [g/mol]=1,000 mol.

亜酸化窒素1 molの体積は22.4 Lより，1,000 [mol]×22.4 [L/mol]=22,400[L]

（3）医療ガス配管設備（JIS T 7101）

医用機器安全管理学 第2版 p.88～100

○供給源設備

配管末端器での標準送気圧力 【36回】 ★★

ガスの種類	酸素	治療用空気	亜酸化窒素	二酸化炭素	手術機器駆動用窒素	手術機器駆動用空気
識別色	緑	黄色	青	だいだい色	灰色	褐色
記号	O_2	AIR	N_2O	CO_2	N_2	STA
標準送気圧力 [kPa]	400±40				900±180	
配管端末器最低流量 [NL/min]	60	60	40	40	350	

※ただし，「酸素」は亜酸化窒素または二酸化炭素よりも約30 kPa高くしなければならない．さらに治療用空気は，酸素と亜酸化窒素および二酸化炭素との中間の送気圧力とすることが望ましい．NL/min：1気圧0℃でのガス流量． (JIS T 7101：2020より作成)

❷定置式超低温液化ガス供給装置を CE（コールドエバポレータ）システムという.

❷CE システムでは貯槽の 2/3 が推定使用量の 10 日以上あることが必要.

❷緊急用の酸素貯蔵量は予想使用量の 1 日分以上を確保する.

❷複数のボンベを 2 群にまとめ交互に使用する装置をマニフォールドシステムという.

❷マニフォールドシステムは，第一供給装置，第二供給装置とも推定使用量の 7 日以上の貯蔵が必要である.

❷酸素の送気配管圧力は他のガスよりも約 30 kPa（0.03 MPa）程度高くなっている.

❷亜酸化窒素の標準送気圧力は 400±40 kPa（0.4 MPa）である.

❷酸素の標準送気圧力は 400±40 kPa（0.4 MPa）である.

❷治療用空気の配管端末器における最大流量の下限は 60 NL/min である.

❷医療ガス配管設備には吸引も含まれる.

❷吸引圧力は吸引ポンプから供給される.

❷手術機器駆動用空気の配管端末器の識別色は「褐色」である.

❷配管端末器に約 100 μm のフィルタで塵埃を防いでいる.

❷駆動用空気配管には「STA」と表示される.

❷麻酔ガスを排除する，余剰麻酔ガス排除設備は「AGSS」と呼ばれる.

❷麻酔ガス排除用配管端末器はカプラ方式が用いられている.

❷ホースアセンブリは，配管端末器やガスボンベから医療機器への医療ガスを供給するために用いる耐圧性のホースのことであり，毎回使用するときに接続する.

○送気配管設備，吸引設備

医療ガス部品の色分け 【33回】【36回】 ──────────────── ★★

医用ガスの種類	配管の色（末端部）	ボンベの色
	JIS	高圧ガス保安法
酸素	緑	黒
亜酸化窒素	青	ねずみ（灰色）
治療用空気	黄色	ねずみ（灰色）
吸引	黒	
二酸化炭素	だいだい色	緑
窒素	灰色	ねずみ（灰色）
駆動用空気	褐色	ねずみ（灰色）
麻酔ガス排出	赤	
水素ガス		赤
液化アンモニア		白
液化塩素		黄色
ヘリウム		ねずみ（灰色）

❷高圧ガスの種類に応じて，容器の外面の見やすい箇所に容器の表面積の 1/2 以上に塗色が施される.

❷ボンベの色表示は高圧ガス保安法により定められている.

❷配管設備は JIS T 7101「医療ガス配管設備」で規定されている.

ピン方式末端器 【33回】【34回】 ★★

	酸素	亜酸化窒素	医療用空気	吸引	二酸化炭素
ピン穴配置角度	180°	135°	120°	90°	45°
ピン数	2	2	3	2	2
識別色	緑	青	黄	黒	だいだい
図					

遮断弁

- ガス供給装置と配管端末器との間にシャットオフバルブ（区域別遮断弁，主遮断弁）が設けられている．
- シャットオフバルブは，日常は「開」の状態で使用される．

● ガス別特定

ガス別特定コネクタの方式一覧

方式	ガス							
	酸素	亜酸化窒素	治療用空気	吸引	二酸化炭素	駆動用空気	駆動用窒素	余剰麻酔ガス排除（AGSS）
ピン方式	○	○	○	○	○			
シュレーダ方式	○	○	○	○	○			
DISS方式					○		○	
NIST方式					○			
カプラK方式								○
カプラC方式								○

異種ガスの誤供給を防止する手段

- ピン方式（アウトレット）
- シュレーダ方式（アウトレット）
- ピンインディックス（ヨーク締付式ボンベ）
- おねじ（ボンベ）

ボンベ接続部がおねじによってガス別特定されているもの

- 亜酸化窒素
- 二酸化炭素

二酸化炭素と亜酸化窒素のボンベでは

- 内容量40L未満（小・中型）のボンベでは「ヨーク締付式（ヨーク式）」を用いる．
- 内容量40L（大型）のボンベでは「おねじ　A2弁」を用いる．

（4）医療ガスの事故と原因

ICU にある医療ガス配管から酸素供給が停止した場合の対処

- ❯ 予備の酸素ボンベに切り変えた.
- ❯ 院内の責任者に供給が停止していることを伝えた.
- ❯ ICU の医療従事者に供給が停止していることを伝えた.

医用機器安全管理学
第 2 版
p.101～104

（5）医療ガス安全管理委員会

- ❯ 保守点検の業務記録は 2 年間保存する.
- ❯ 委員会の開催は年 1 回定期的とされ,また必要に応じて開催する.
- ❯ 監督責任者は医療ガスに関する専門知識と技術をもった委員会の委員のなかから選任される：実施責任者のなかからの選任ではない.
- ❯ 実施責任者は医療ガスに関する専門知識と技術を持った者とされる：薬剤師や臨床工学技士である必要はない.
- ❯ 委員長は医療施設の長または,その命を受けた者とされる：医療ガスの専門家である必要はない.

臨床工学技士国家試験問題 Check UP!

問題 1　□□□
31A44

医療ガスの性質について誤っているのはどれか.

1. 酸素ガスの比重（対空気）は約 1.5 である.
2. 亜酸化窒素ガスには支燃性がある.
3. 窒素ガスの沸点は −196℃である.
4. 二酸化炭素ガスの臨界温度は約 31℃である.
5. ヘリウムガス中の音速は空気中の約 3 倍である.

問題 2　□□□
29A44

医療ガスについて誤っているのはどれか.

1. 合成空気の成分は酸素と窒素である.
2. 医療ガス配管設備には吸引も含まれる.
3. ボンベ内の亜酸化窒素の残量はボンベ内圧から求める.
4. 酸素の比重は空気より大きい.
5. 窒素は外科用手術機器の動力源として用いられる.

高圧ガスボンベ内で液体であるのはどれか.

- a. 酸　素
- b. 空　気
- c. 窒　素
- d. 亜酸化窒素
- e. 二酸化炭素

1. a, b　2. a, e　3. b, c　4. c, d　5. d, e

JIS T 7101：2020 で規定されている医療ガス配管設備について正しいのはどれか.

1. 吸引圧力はマニフォールドから供給される.
2. 手術機器駆動用空気配管は「VAC」と表示される.
3. 麻酔ガス排除用配管端末器はシュレーダ方式が用いられる.
4. 酸素の標準送気圧力は配管端末器で 4 MPa 程度である.
5. 治療用空気配管端末器における最大流量の下限は 60 L/min である.

医療ガスと高圧ガス容器（ボンベ）の塗色との組合せで正しいのはどれか.

1. 酸　素―――緑
2. 亜酸化窒素――黄
3. 治療用空気――青
4. 窒　素―――ねずみ
5. ヘリウム―――白

高圧ガス保安法におけるガス容器の貯蔵に関して誤っているのはどれか.

1. 転倒を防止する措置がある.
2. 周囲温度は 40℃以下である.
3. 気密性が保たれた場所である.
4. 充填容器と残ガス容器が区別できる.
5. 可燃性ガス容器は種類ごとに区別して置く.

医療ガスについて正しいのはどれか.

1. 配管設備は高圧ガス保安法で定められている.
2. ボンベの色表示は JIS で定められている.
3. 亜酸化窒素の配管の色はねずみ色である.
4. 酸素ボンベの塗色は緑色である.
5. 合成空気の酸素濃度は 22％である.

静止圧状態において標準送気圧力が最も高い配管端末器はどれか.

医療ガス配管端末器について誤っているのはどれか.

1. 亜酸化窒素の供給圧は約 5 MPa である.
2. フィルタが組み込まれている.
3. 誤接続防止機構としてピン方式が使われる.
4. 吸引端末が備えられている.
5. 治療用空気の識別色は黄色である.

図で示した医療ガス配管設備（JIS T 7101）は二酸化炭素のアウトレットである. 識別色はどれか.

1. だいだい
2. 緑
3. 黄
4. 青
5. 黒

問題 11　□□□　　　34P44

内容積 3.5 L の酸素ボンベの圧力調整器が 10 MPa を示している．5 L/min の流量で酸素を投与した場合の投与可能時間はおよそ何分か．

1. 35
2. 70
3. 175
4. 350
5. 500

問題 14　□□□　　　36P42

医療ガスと高圧ガス容器保安規則で定められている塗色区分との組合せで誤っているのはどれか．

1. 酸　素―――――黒　色
2. 空　気―――――ねずみ色
3. 二酸化炭素―――緑　色
4. 亜酸化窒素―――青　色
5. ヘリウム―――――ねずみ色

問題 12　□□□　　　35P43

酸素流量 2 L/min で 10 時間投与したいとき酸素ボンベの内圧は少なくとも何 MPa 必要か．ただし，容器の内容量は 40 L とする．

1. 1
2. 3
3. 5
4. 7
5. 10

問題 15　□□□　　　37A44

支燃性を有するガスはどれか．

1. 空　気
2. 一酸化二窒素（亜酸化窒素）
3. 二酸化炭素
4. ヘリウム
5. 窒　素
1. a, b　2. a, e　3. b, c　4. c, d　5. d, e

問題 13　□□□　　　36A43

医療ガス設備の配管端末器で標準送気圧力が最も高いのはどれか．

1. 酸　素
2. 治療用空気
3. 亜酸化窒素
4. 二酸化炭素
5. 手術機器駆動用窒素

問題 16　□□□　　　37P42

酸素を 4 L/分で 10 時間投与する場合，最小限必要となるボンベ本数はどれか．
ただし，ボンベの充填圧は 15 MPa，内容量は 3.5 L とする．

1. 1本
2. 3本
3. 5本
4. 10本
5. 15本

〈解答〉問題 1-1, 問題 2-3, 問題 3-5, 問題 4-4, 問題 5-5, 問題 6-1, 問題 7-5, 問題 8-3, 問題 9-1, 問題 10-1, 問題 11-2, 問題 12-2, 問題 13-5, 問題 14-4, 問題 15-1, 問題 16-3

6. システム安全

（1）システムの分析手法

医用機器安全管理学
第2版
p.129〜131

◎特定の分析手法

FTA (Fault Tree Analysis：故障の樹分析)	起こった事故の根本の原因を分析する手法. 論理記号で記述される.
FMEA (Fault Mode and Effects Analysis： 故障モード効果分析)	個々の事象が全体にどのような影響を及ぼすか表形式で分析する手法. 故障モードとその影響を調査・分析する.
ハインリッヒの法則	1人の人間が起こしたミスを分析すると，1件の重大な事故の背景には29件の軽重な事故，300件の被害が発生しなかったインシデントがあったと考える. ハインリッヒの法則とは有害なインシデント（アクシデント）に至る前には，ヒヤリハットが多く発生しているというものである.
SHELL モデル	S：ソフトウェア，H：ハードウェア，E：環境，L：当事者・他人. SHELL モデルの SHELL とは事故の背景にある要因を示す.
4M-4E 分析	4M-4E 分析とは，要因・対策立案を行うための原因対策対応式（Matrix 式）の分析手法である. 4M の視点から事故調査の要因・原因を抽出・分析を行う. 4M-4E 分析で重要なことは，要因を分類することではなく，事故調査の原因を全て洗い出すことにある. 4M とは，man（医療従事者），machine（装置，機器），media（設備を含めた環境），management（管理，環境）である.
RCA（根本原因分析）	インシデントや有害なインシデント（アクシデント）の根本原因を分析することよって再発を防止するための分析.
Medical Safer	根本分析手法の1つ. 分析作業がわかりやすく手順化されているため，現場で働くスタッフの立場で事象分析を実践することが可能.
クリティカルパス	工程管理や工程短縮のためのコスト分析法であり，医療の標準化と質の向上を図る手法として用いる.

（2）信頼度（reliability）【34回】【35回】【37回】 ★★★

医用機器安全管理学
第2版
p.126〜127

❷同一の信頼度をもつ機器を並列に接続すると，システムの信頼度は上がる.

❷機器を直列に接続すると，システムの信頼度は低下する.

❷停電用バッテリーによる電源バックアップは多重系であり，代替機能として信頼度を高める.

○直列系の信頼度

> 直列系の全体の信頼度 R

$R = r_1 \times r_2 \cdots \times r_m$

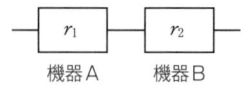

機器A　機器B

例題

　ある機器の信頼度を調査したところ，16 回のうち 14 回使用できた．同時に使用する別の機能を持つもう 1 台の機器は 8 回のうち 6 回使用できた．この 2 台を同時に使用できる確率はいくつか．

解答

　16 回のうち 14 回使用できた機器の信頼度は 14/16＝0.875．8 回のうち 6 回使用できた機器の信頼度は 6/8＝0.75．この 2 台を同時に使用することは直列系の信頼度を意味する．
　よって，信頼度 $R = 0.875 \times 0.75 \fallingdotseq 0.66$　となる．

○並列系の信頼度

> 並列系の全体の信頼度 R

$R = (r_1 + r_2) - (r_1 \times r_2) = 1 - (1 - r_1) \times (1 - r_2)$

> 個々の信頼度が r の機器を m 個並列に接続すると，
> システム全体の信頼度 R は $R = 1 - (1 - r)^m$ となる．

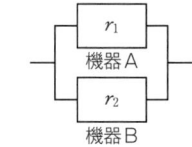

機器A

機器B

例題

　機器 A は 15 回に 3 回は使用できない，機器 B は 24 回に 6 回は使用できない．機器 A と機器 B を同時に使用した場合に少なくともどちらか一方によって使用目的が達成できる確率（信頼度）はいくつか．

解答

　機器 A は 15 回に 12 回は使用できることから信頼度は 12/15＝0.8，機器 B は 24 回に 18 回使用できることから信頼度は 18/24＝0.75 となる．また，少なくともどちらか一方によって使用目的が達成できることから，並列系として考える．
　よって信頼度は，$R = 1 - (1 - 0.8) \times (1 - 0.75) = 0.95$ となる．

例題

　信頼度 $r = 0.6$ の要素を 3 個並列に結合した系の全体の信頼度はいくつか．

解答

　並列系の計算となるため，以下の式が成り立つ．
　信頼度 $= 1 - (1 - r)^m = 1 - (1 - 0.6)^3 = 1 - 0.064 = 0.936$

例題

　ある機器の A の部分は信頼度 0.95 の点検者が 1 人で行い，B の部分は信頼度 0.80 の点検者が 2 人で行った．点検作業の総合的な信頼度はいくつか．ただし，A の部分と B の部分は直列間にあるとする．

解答

　題意より，A の部分を担当した点検者の信頼度を R_A，B の部分を担当した信頼度を R_B とすると下記のようになる．

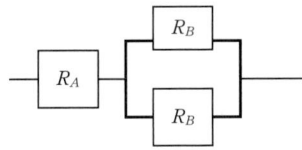

$R_A=0.95$，$R_B=0.80$ より総合的な信頼度 R は，
　　$R=0.95\times\{1-(1-0.8)\times(1-0.8)\}=0.95\times0.96=0.912$ となる．

（3）人間工学と安全

医用機器安全管理学
第 2 版
p.131〜136

○人間工学的安全

操作と機能

- ❯つまみの右回転を出力増加方向とするのは人間工学的配慮による．
- ❯タッチプルーフ
  - ・ME 機器の装着部に接続する患者コードのコネクタ部は，大地または危険な電圧に接触できない構造になっており，これをタッチプルーフ機構と呼ぶ．
  - ・タッチプルーフ機構を採用した接続コネクタは金属部がむき出しにならないため，感電する危険がない．
  - ・タッチプルーフ機構はすでに脳波計や，筋電計，心電計，他の ME 機器の多くに採用されている．

○フールプルーフ（エラープルーフ）とフェイルセーフ

フールプルーフ（エラープルーフ）【35 回】 ━━━━━━━━━━━━━━ ★★

- ❯フール（馬鹿）に対するプルーフ（保護）のシステムで，間違った操作が構造上できないシステムのことである．
- ❯異常状態またはその兆候の検知，異常状態の防止を行う機構．
- ❯誰が使っても安全なシステム．ミス予防システム．つまり，本質的に異常の生じない構造・構成．
- ❯フール（馬鹿）という言葉が，差別用語につながるということで「エラープルーフ」という呼び方に変わりつつある．

〈具体例〉
- ❯医用ガスの DISS コネクタ
- ❯体外式ペースメーカの電源スイッチ
- ❯ピン方式やシュレーダ方式を用いた配管末端器の誤接続防止機構

❯フタを閉めないと回転しない血液透析装置の血液ポンプ

❯観血式血圧計のゼロ調整ボタンの長押し機構

❯医療ガスボンベのヨーク形バルブ （ピンインデックス）

フェイルセーフ 【35回】【36回】 ─────────────────────────── ★★

❯フェイル（失敗・事故）が生じてもそれを検知し，自動的にシステムをセーフ（安全な状態）に導くシステム．

❯機器故障が人体に危害を及ぼさない機構．

❯異常状態の結果生ずる危険の最小化．

〈具体例〉

❯電気メスの対極板コード断線モニタ：電気メス対極板コード未接続検出時の出力停止機構

❯電気メスの対極板接触不良検知機構

❯IABP装置のガス回路内高圧検出時のポンピング停止

❯IABP装置のガスリークアラーム機構

❯輸液ポンプの気泡検出器：輸液ポンプチューブ内の空気検出時の送液停止機構

❯麻酔器の亜酸化窒素遮断装置

❯ガス遮断安全装置，低酸素防止装置つき流量計

臨床工学技士国家試験問題　Check UP!

問題1　□□□　　　　　　　　25P45

電気メスを使用した手術後の患者の体に発赤が見られた．この現象が発生する可能性をあげ論理和や論理積の考え方で最終的な原因の究明を試みた．このような分析手法はどれか．

1. FMEA
2. FTA
3. MDT
4. MTBF
5. MTTR

問題2　□□□　　　　　　　　26P44

フールプルーフはどれか．

1. IABP装置のガスリークアラーム機構
2. 心電図モニタの不整脈アラーム機構
3. 電気メスの対極板接触不良検知機構
4. 輸液ポンプの気泡検知機構
5. 観血式血圧計のゼロ調整ボタンの長押し機構

問題 3　□□□　35A23

全身麻酔を安全に施行するためのフールプルーフ機構はどれか.

1. 医療ガス配管端末のピン方式
2. 医療ガス供給を遮断するガス遮断装置
3. 酸素供給圧警報装置
4. 医療ガス流量計の低酸素防止装置
5. 複数の流量計のうち酸素流量計を最右端に配置すること

問題 4　□□□　35P44

ある機器の信頼度を調査したところ, 20 回のうち 19 回使用できた. 同時に使用するもう 1 台の機器は 10 回のうち 8 回使用できた. この 2 台を同時に使用できる確率はいくつか.

1. 0.99
2. 0.95
3. 0.88
4. 0.80
5. 0.76

問題 5　□□□　34A44

信頼度 $r=0.3$ の要素を 4 個並列に結合した系の全体の信頼度はどれか.

1. 0.01
2. 0.24
3. 0.60
4. 0.76
5. 0.99

問題 6　□□□　27P44

ある機器の A の部分は信頼度 0.90 の点検者が 1 人で行い, B の部分は信頼度 0.70 の点検者が 2 人で行った. 点検作業の総合的な信頼度はどれか. ただし, A の部分と B の部分は直列間にあるとする.

1. 0.44
2. 0.63
3. 0.82
4. 0.91
5. 0.99

問題 7　□□□　36A44

フェイルセーフはどれか.

a. 麻酔器の酸素供給停止時の亜酸化窒素ガス遮断装置
b. 電気メスの対極板コード断線検知機構
c. 医療ガス配管端末器のピン方式
d. 心電図モニタの不整脈アラーム
e. IABP 装置のバッテリ搭載

1. a, b　2. a, e　3. b, c　4. c, d　5. d, e

問題 8　□□□　37P43

信頼度 0.90 の心拍計と信頼度 0.80 の脈拍計を同時に使用した. このときの心拍数, 脈拍数のどちらかが測定できる信頼度はどれか.

1. 0.72
2. 0.80
3. 0.85
4. 0.94
5. 0.98

〈解答〉問題 1-2, 問題 2-5, 問題 3-1, 問題 4-5, 問題 5-4, 問題 6-3, 問題 7-1, 問題 8-5

7. 電磁環境

医用機器安全管理学
第2版
p.121〜123

（1）電磁妨害と EMC

○**EMI（electro magnetic interference）**【34回】【35回】 ━━━━━ ★★
- ❯EMI とは，電子機器が発する電波が周辺の他の電子機器の動作に影響を及ぼす現象で，電磁障害（電磁妨害）とも呼ばれる．
- ❯原因
  - ・静電気放電
  - ・磁界（医療機器，照明，電気毛布など）
  - ・電界（電気メス，マイクロ波治療器，携帯電話など）
  - ・電源ラインの広帯域雑音
  - ・電源電圧の変動
- ❯送電線に流れる電流の電磁誘導は EMI を惹起する．

○**エミッション（emission）**【34回】 ━━━━━━━━━━━━━ ★★
- ❯電磁エネルギーを放出する現象をいう．

○**EMC（electro magnetic compatibility）**【34回】【35回】 ━━━━ ★★
- ❯EMC は電磁両立性，電磁環境両立性または，電磁環境適合性とも呼ばれる．
- ❯EMC とは，電磁波に対する妨害抑制能力と妨害排除能力の両立性を表している．
  - ・他のシステムに電磁障害を与えない．
  - ・他のシステムからの電磁障害を受けない．
  - ・自分自身に電磁障害を与えない．
- ❯電界強度の単位は V/m
- ❯EMC に関係がある電磁波は 10 kHz 以上である．

○**イミュニティ（immunity）**【34回】 ━━━━━━━━━━━━ ★★
- ❯医療機器が電磁妨害（外部雑音）を受けても性能が劣化することなく，これに耐えうる能力（妨害排除能力）を表す．

規定されている項目
- ❯無線電波に対する耐性
- ❯火花放電に対する耐性
- ❯静電気放電に対する耐性
- ❯雷誘導電圧に対する耐性

イミュニティ試験の項目
- ❯静電気放電（ESD）
- ❯電気的ファーストトランジェント/バースト
- ❯サージ
- ❯電源入力ラインにおける電圧ディップ
- ❯短時間停電および電圧変化

- ❯電源周波数（50 / 60 Hz）磁界
- ❯伝導 RF 電磁界
- ❯放射 RF 電磁界

（2）医療現場における EMI の原因と対策（対応）

医用機器安全管理学
第 2 版
p.109〜115

○電磁環境
- ❯携帯電話は受信状態がよい場合に送信出力が小さくなる（受信状態が悪いと送信出力が大きくなる）．
- ❯2.4 GHz 帯の無線 LAN は電磁干渉が多く ME 機器に影響を及ぼす．
- ❯医用テレメータは同じ無線チャネル設定の場合，近隣病院との混信がありうる．
- ❯医用テレメータの送信機の送信出力は E 型のみ 10 mW 以下で，それ以外は 1 mW 以下と電波法で規定されている．

○電磁妨害対策　【34 回】【36 回】【37 回】　★★★
- ❯電気メスと IABP を同時に使用するときは，トリガ信号として動脈圧波形を用いる．
- ❯心電計の誘電コードに用いるシールド線は，低周波に限りシールド効果がある．
- ❯心電図のモニタリング中の患者に電気毛布を使用するときは，ハムフィルタをつけるかテレメータを使用する．
- ❯ペースメーカ装着患者は MRI 検査を受けることができない．
- ❯静電シールド内に電磁障害源が置かれる場合には，遮へい導体は接地する．
- ❯心電図に起こる電磁障害の代表例には交流雑音があるが，患者測定電流には影響しない．
- ❯電磁波による誤作動を防ぐため，ME 機器に対する携帯電話の推奨隔離距離は 1 m である．
- ❯電磁波による誤作動を防ぐため，携帯電話と植込み型ペースメーカとの距離は 15 cm 以上距離をおく．
- ❯医用テレメータの周波数帯は，他の医療機器（非観血式血圧患者モニタ，離床センサシステムなど）や工事用クレーンリモコンと共用しているため，3000 番台のチャネルは使用を避けるなど，設定時に注意が必要．

心電図記録中にハム雑音が重畳した場合の対応
- ❯電源コードを誘導コードから離す．
- ❯患者を蛍光灯の真下から離す．
- ❯患者リードを束ねる．
- ❯金属ベッドを接地する．
- ❯壁からできるだけベッドを離す．
- ❯等電位接地を行う．
- ❯患者と併用機器の距離を離す．
- ❯CMRR の大きな心電計を用いる．
- ❯ラインフィルタを用いる．
- ❯誘電コードや電源コードにシールドをする．

電気メスによるモニタ雑音対策
- ❯モニタに高周波除去フィルタを使用する.
- ❯電気メス出力を必要最小限にする.
- ❯対極板コードをモニタコードから離して使用する.
- ❯絶縁型のトランスデューサを使用する.
- ❯電気メス使用時は心臓ペースメーカを固定レートにする.

植込み型医療機器に電磁干渉を与える可能性があるもの ──────── ★
- ❯EAS 機器（電子商品監視機器）
- ❯RFID 読取機器（電子タグ読取機器）
- ❯IH 電子炊飯器
- ❯電磁調理器
- ❯電気メス
- ❯エックス線 CT
- ❯MRI
- ❯高周波/低周波治療器
- ❯結石破砕装置
- ❯携帯電話

医用機器安全管理学
第 2 版
　p.115〜120

（3）電磁波の規制

○電磁波　【33 回】────────────────────────── ★★
- ❯2.4 GHz の電磁波は非電離放射線である.
- ❯2.4 GHz 帯は無線 LAN に用いられている.
- ❯携帯電話の周波数は 700 MHz〜3.5 GHz の 7 つの周波数帯に分かれている.
- ❯テレメータは 420 MHz〜450 MHz 帯を使用すると定めている.
- ❯任意の周波数の使用は電波法により禁じられている.

ISM（Industrial, Scientific and Medical）周波数
- ❯産業・科学・医療用目的の電磁波を利用するため設定されている周波数帯域である.
- ❯日本において 100 mW 以上の出力では免許が必要である.
- ❯ISM 周波数は，2.4 GHz 付近の周波数帯域である.
- ❯マイクロ波手術器は ISM 周波数を使用する.
- ❯この周波数帯の電波を使用している医療機器についても，周辺機器へのエミッションを考慮する必要がある.

臨床工学技士国家試験問題 Check UP!

問題 1 (30P45)

ME 機器の EMC の規格である JIS T 0601-1-2：2012 におけるイミュニティ試験の項目でないのはどれか.

1. 静電気放電
2. 放射 RF 電磁界
3. 電気的ファーストトランジェント
4. 電圧ディップ
5. 静磁界

問題 2 (31A46)

JIS T 0601-1-2 のイミュニティ試験において想定されていない妨害はどれか.

1. 静電気放電
2. 無線電波
3. 火花放電
4. 雷誘導電圧
5. 電離放射線

問題 3 (28A46)

ISM（Industrial, Scientific and Medical）の周波数帯のエネルギーを使用しているのはどれか.

1. 超音波吸引装置
2. 除細動器
3. レーザ治療装置
4. マイクロ波手術器
5. 心電図テレメータ

問題 4 (30A44)

正しいのはどれか.

a. 2.4 GHz の電磁波は非電離放射線である.
b. 携帯電話で使用される周波数は約 500 kHz である.
c. 省電力医用テレメータは出力が規定値以内であれば任意の周波数を用いてよい.
d. 心電計に電磁障害が起きると患者測定電流が増加する.
e. 電気メス使用時は心臓ペースメーカを固定レートにする.

1. a, b　2. a, e　3. b, c　4. c, d　5. d, e

問題 5 (26P45)

植込み型心臓ペースメーカの動作に影響する可能性があるのはどれか.

a. 無線 LAN
b. 医用テレメータ
c. 電気メス
d. エックス線 CT
e. MRI

1. a, b, c　2. a, b, e　3. a, d, e
4. b, c, d　5. c, d, e

問題 6 (34A45)

医用電気機器が他からの電磁的な妨害に耐える能力を示すのはどれか.

1. EMC
2. EMI
3. ESD
4. immunity
5. emission

7. 電磁環境　169

問題 7 □ □ □   35A45

電磁波に対する妨害抑制能力と妨害排除能力の両立性を表現しているのはどれか.

1. EMI
2. EMD
3. EMC
4. ESD
5. EAS

問題 9 □ □ □   36P44

EMC に関連する国際規格で推奨されている携帯電話と植込み型医療機器との離隔距離［cm］はどれか.

1.　3
2.　15
3.　22
4.　50
5.　100

問題 8 □ □ □   34P45

電磁環境について誤っているのはどれか.

1. ME 機器に対する携帯電話の推奨隔離距離は 1m である.
2. 携帯電話は受信状態がよい場合に送信出力が小さくなる.
3. 無線 LAN に影響を及ぼす ME 機器がある.
4. 医用テレメータは近隣病院との混信がありうる.
5. 医用テレメータの受信範囲を広げるには送信機の送信出力を上げる.

問題 10 □ □ □   37P44

小電力医用テレメータの受信に影響を及ぼすのはどれか.

1. 携帯電話
2. 無線 LAN
3. 工事用クレーンのリモコン
4. 電子レンジ
5. Bluetooth 機器

〈解答〉問題1-5，問題2-5，問題3-4，問題4-2，問題5-5，問題6-4，問題7-3，問題8-5，問題9-2，問題10-3

医用機器安全管理学
第2版
p.190〜193

(1) 臨床工学技士法 【34回】【35回】【36回】【37回】 ★★★

○ 臨床工学技士基本業務指針 2010

臨床工学技士が行える業務

- ❯ 酸素吸入用鼻カニューレ先端部への身体への接続
- ❯ 血液浄化装置の穿刺針の内シャントへの穿刺
- ❯ 生命維持管理装置の導出電極の患者皮膚への接続
- ❯ 生命維持管理装置に組み込まれた心電計の監視
- ❯ 動脈カテーテルからの採血
- ❯ 人工呼吸器運転条件の設定
- ❯ 人工呼吸中の気管吸引における喀痰除去　など

臨床工学技士が行えない業務

- ❯ 気管チューブの気管内への挿入
- ❯ ペースメーカ植込み時のジェネレータと電極リードの接続　など

医師の具体的な指示（書面など）が必要

- ❯ 人工心肺操作中の血液流量の条件変更
- ❯ 血液浄化装置の運転条件の変更
- ❯ 高気圧酸素治療中の加圧時間の設定　など

医師の具体的指示の必要なし

- ❯ 人工呼吸中の気管吸引による喀痰の除去
- ❯ 血液浄化装置先端部（穿刺針）の抜去後の止血処置
- ❯ 植込み型ペースメーカへのプログラミングヘッドの設置　など

○ 法令改正により 2021 年 10 月 1 日から新たに臨床工学技士が行える業務

- ❯ 手術室又は集中治療室で生命維持管理装置を用いて行う治療における静脈路への輸液ポンプ又はシリンジポンプの接続，薬剤を投与するための当該輸液ポンプ又は当該シリンジポンプの操作並びに当該薬剤の投与が終了した後の抜針及び止血（輸液ポンプ又はシリンジポンプを静脈路に接続するために静脈路を確保する行為についても，「静脈路への輸液ポンプ又はシリンジポンプの接続」に含まれる）．
- ❯ 生命維持管理装置を用いて行う心臓又は血管に係るカテーテル治療における身体に電気的刺激を負荷するための装置の操作．
- ❯ 手術室で生命維持管理装置を用いて行う鏡視下手術における体内に挿入されている内視鏡用ビデオカメラの保持及び手術野に対する視野を確保するための当該内視鏡用ビデオカメラの操作．
- ❯ 血液浄化装置の穿刺針その他の先端部の表在化された動脈若しくは表在静脈への接続又は表在化された動脈若しくは表在静脈からの除去．

臨床工学技士の業務について

❷ 正当な理由なしに業務上知り得た人の秘密を漏らしてはならない.

❷ 医療施設の受電設備の保守は業務の範囲外である：電気主任技術者の資格が必要.

❷ 医用電気機器の安全基準は JIS に規定されている.

❷ 機器の保守点検は臨床工学技士以外でも行える：保守点検は臨床工学技士の独占業務ではない（看護師でも行える）.

❷ 医師の書面などによる指示が必要とされるのは, 装置の運転条件および監視条件の設定と変更である.

医用機器安全管理学
第2版
p.194〜196

（2）医療法

○ 改正医療法　【33回】 ━━━━━━━━━━━━━━━━━━━━━━━━━━━ ★★

❷ 平成19（2007）年4月, 厚生労働省より改正医療法「医療安全関連通知」が出された.

❷ 医療機器を安全に使用するための指針として医療機関に対する義務付けが具体的に示された.

1. 医療機器の安全使用を確保するため責任者「医療機器安全管理責任者」の配置
2. 従事者に対する医療機器の安全使用のための研修の実施
3. 医療機器の保守点検に関する計画の策定および保守点検の適切な実施
4. 医療機器の安全使用のために必要となる情報収集, その他の医療機器の安全使用を目的とした改善のための方策実施

○ 臨床工学技士と安全管理

医療機器安全管理責任者　【33回】【35回】【37回】 ━━━━━━━━━━━━━━━

❷ 医療機器の安全使用のため責任者を配置する.

❷ 医療機器安全管理責任者は, 医療機器に関する十分な知識を有する常勤職員であり, 下記のいずれかの資格を有するもの

・医師（管理者との兼務は不可）

・薬剤師

・助産師（助産所の場合に限る）

・看護師（部長）

・歯科衛生士（主として歯科医業を行う診療所に限る）

・診療放射線技師

・臨床検査技師

・臨床工学技士

❷ 医療機器安全管理責任者は, 病院などの管理者の指示のもとに, 次に掲げる業務を行うものとする.

・従事者に対する医療機器の安全使用のための研修の実施

・医療機器の保守点検に関する計画の策定および保守点検の適切な実施

・医療機器の安全使用のために必要となる情報の収集, その他の医療機器の安全使用を目的とした改善のための方策の実施

　※病院においては管理者（病院長）との兼務業務は不可となる.

特定機能病院における定期的研修（年2回程度）が必要な医療機器 ──────── ★
- ❯人工心肺装置および補助循環装置
- ❯人工呼吸器
- ❯血液浄化装置
- ❯除細動装置（AEDを除く）
- ❯閉鎖式保育器
- ❯診療用高エネルギー放射線発生装置（直線加速器など）
- ❯診療用放射線照射装置（ガンマナイフ）

（3）医薬品医療機器等法

医用機器安全管理学
第2版
　p.196～200

○医療機器の定義
- ❯人・動物の疾病の診断，治療，予防に使用されること，または人・動物の身体の構造・機能に影響を及ぼすことが目的とされている機械器具等（再生医療等製品を除く）．

JISで規定されている医療機器
- ❯輸液ポンプ
- ❯電気メス
- ❯体外式ペースメーカ
- ❯心電図
- ❯観血式血圧計　など

※植込み型ペースメーカについては，JISに規定されていない．

○医療機器の危険度における分類　【36回】 ──────── ★★
医療機器区分

分　類	例　示
高度管理医療機器（クラスⅢ・Ⅳ）	ペースメーカ，人工心臓弁，中心静脈用カテーテル，冠動脈カニューレ，滅菌済み合成高分子縫合糸，心血管用ステント，吸収性体内固定用ボルト，透析器，人工骨，人工呼吸器，バルーンカテーテル，血管用カテーテルガイドワイヤ，輸液ポンプ，滅菌済み縫合糸，コンタクトレンズ，人工心肺装置，除細動装置
管理医療機器（クラスⅡ）	MRI，X線撮影装置，心電計，脳波計，レーザ血流計，電子式血圧計，電子内視鏡，消化器用カテーテル，超音波診断装置，補聴器，歯科用合金，超音波歯周用スケーラ，家庭用マッサージ器
一般医療機器（クラスⅠ）	X線フィルム，体外診断機器（血液ガス，血球計数装置），メス，ピンセット等鋼製小物，手術用不織布ガーゼ，医療脱脂綿，ネブライザー，手術台，手術用照明器，歯科技工用機器，手術用顕微鏡，家庭用救急絆創膏，プラズマ滅菌器，自動電子式血圧計

医薬品医療機器等法（旧薬事法）における医療機器の修理に該当
- ❯故障の点検
- ❯劣化部品の交換
- ❯破損箇所の修復
- ❯オーバーホール

○医療機器の再評価制度
医療機器を廃棄する指標
- ❯機能の陳腐化
- ❯平均故障間隔の短縮
- ❯アベイラビリティの低下
- ❯定期点検頻度の増加

医用機器安全管理学
第2版
p.205〜206

（4）製造物責任法（PL 法）

- ❯ユーザの誤使用によって事故が起きた場合，製造物責任（PL）となる．
- ❯PL 法は製造物の欠陥によって他人の生命，身体，財産を侵害したものが負う責任について定めている．

臨床工学技士国家試験問題　Check UP!

問題 1 □□□　　　　　　　　30P46

医療法で定める「医療機器安全管理責任者」に任命できる職種はどれか．

- a．薬剤師
- b．助産師
- c．視能訓練士
- d．理学療法士
- e．歯科衛生士

1. a，b，c　2. a，b，e　3. a，d，e
4. b，c，d　5. c，d，e

問題 2 □□□　　　　　　　　24A45

平成 19 年に施行された改正医療法における医療機器安全管理責任者の業務はどれか．

- a．医薬品の副作用に関する研修
- b．医療機器に関連した事故責任の追及
- c．医療機器を取り扱う従業者の研修
- d．医療機器保守点検計画の策定
- e．医療機器安全情報の一元的な管理

1. a，b，c　2. a，b，e　3. a，d，e
4. b，c，d　5. c，d，e

問題 3	□□□	31P44

特定機能病院において，医療機器安全管理責任者が年に2回程度定期的に研修を行うべき医療機器はどれか．

a．経皮的心肺補助装置
b．電気メス
c．消化管内視鏡
d．自動体外式除細動器（AED）
e．閉鎖式保育器

1．a，b　2．a，e　3．b，c　4．c，d　5．d，e

問題 4	□□□	25P46

高度管理医療機器でないのはどれか．

1．人工呼吸器
2．人工心肺装置
3．自動電子式血圧計
4．輸液ポンプ
5．除細動器

問題 5	□□□	34A39

臨床工学技士の業務に含まれないのはどれか．

1．動脈留置カテーテルからの採血
2．人工呼吸器の運転条件の設定
3．人工呼吸中の気管吸引による喀痰除去
4．血液浄化装置の先端部の内シャントへの穿刺
5．ペースメーカ植込み時のジェネレータと電極リードの接続

問題 6	□□□	35A38

医師の具体的な指示が必要な臨床工学技士業務はどれか．

a．人工呼吸装置の酸素濃度変更
b．動脈留置カテーテルからの採血
c．血液浄化装置の運転条件の変更
d．高気圧治療装置内の消毒
e．人工心肺装置点検項目の変更

1．a，b，c　2．a，b，e　3．a，d，e
4．b，c，d　5．c，d，e

問題 7	□□□	36P45

医薬品医療機器等法の医療機器の人体に及ぼすリスク分類で，高度管理医療機器はどれか．

a．輸液ポンプ
b．除細動器
c．人工呼吸器
d．MR装置
e．X線CT装置

1．a，b，c　2．a，b，e　3．a，d，e
4．b，c，d　5．c，d，e

問題 8	□□□	37A45

臨床工学技士が行うことができる業務はどれか．

a．血管へ直接穿刺しての採血
b．人工呼吸器装着を目的とした気管挿管
c．診断のための検査を目的とした補助行為
d．動脈留置カテーテルからの採血
e．人工呼吸器使用時の吸引による喀痰の除去

1．a，b　2．a，e　3．b，c　4．c，d　5．d，e

問題 9	□□□	37P45

医療機関における医療機器安全管理責任者の配置を義務づけている法律はどれか．

1．医師法
2．医療法
3．製造物責任法
4．臨床工学技士法
5．医薬品医療機器等法

〈解答〉問題1-2，問題2-5，問題3-2，問題4-3，問題5-5，問題6-1，問題7-1，問題8-5，問題9-2

過去10年間（第28〜37回）の臨床工学技士国家試験出題傾向

(科目は令和3年版国試出題基準に準拠)

科目		平均出題数
大見出し	小見出し	
医学概論	(1) 臨床工学に必要な医学的基礎	10.9
	(2) 人体の構造及び機能	10.4
臨床医学総論	(1) 内科学概論	1.5
	(2) 外科学概論	3.0
	(3) 呼吸器系	3.6
	(4) 循環器系	3.6
	(5) 内分泌・代謝系	1.6
	(6) 神経・筋肉系	0.9
	(7) 感染症	2.3
	(8) 腎臓・泌尿器・生殖器系	2.8
	(9) 消化器系	2.1
	(10) 血液系	1.4
	(11) 麻酔科学	1.3
	(12) 救急・集中治療医学	1.6
	(13) 臨床生理学検査	
	(14) 免疫・移植	0.9
医用治療機器学	(1) 治療の基礎	1.0
	(2) 各種治療機器	10.5
生体計測装置学	(1) 計測工学	3.1
	(2) 生体電気・磁気計測	3.0
	(3) 生体の物理・化学現象の計測	6.0
	(4) 医用画像計測	3.9
医用機器安全管理学	(1) 医用機器の安全管理	14.6
生体機能代行装置学	(1) 呼吸療法装置	10.5
	(2) 体外循環装置・補助循環装置	11.2
	(3) 血液浄化療法装置	11.3
医用電気電子工学	(1) 電気工学	12.0
	(2) 電子工学	10.0
	(3) 情報処理工学	11.4
	(4) システム工学	1.5
医用機械工学	(1) 医用機械工学	9.8
生体物性材料工学	(1) 生体物性	7.2
	(2) 医用材料	5.1
合計		180

過去 10 年間（第 28〜37 回）の回数別臨床工学技士国家試験合格者数・合格率

回数	実施日	受験者数（人）	合格者数（人）	合格率（%）
第 28 回	平成 27（2015）年 3 月 1 日	2,848	2,370	83.2
第 29 回	平成 28（2016）年 3 月 6 日	2,739	1,987	72.5
第 30 回	平成 29（2017）年 3 月 5 日	2,947	2,413	81.9
第 31 回	平成 30（2018）年 3 月 4 日	2,737	2,017	73.7
第 32 回	平成 31（2019）年 3 月 3 日	2,828	2,193	77.5
第 33 回	令和 2（2020）年 3 月 1 日	2,642	2,168	82.1
第 34 回	令和 3（2021）年 3 月 7 日	2,652	2,232	84.2
第 35 回	令和 4（2022）年 3 月 6 日	2,603	2,096	80.5
第 36 回	令和 5（2023）年 3 月 5 日	2,706	2,311	85.4
第 37 回	令和 6（2024）年 3 月 3 日	2,630	2,090	79.5

索　引

臨床工学技士国家試験 Check UP!
医用治療機器学／生体計測装置学／医用機器安全管理学
2025　　　　　　　　　　　ISBN978-4-263-73233-5

2022 年 10 月 10 日　　第 1 版第 1 刷発行
2023 年 8 月 10 日　　第 2 版第 1 刷発行
2024 年 9 月 10 日　　第 3 版第 1 刷発行

編　集　臨床工学技士国家試験研究会

発行者　白　石　泰　夫

発行所　医歯薬出版株式会社

〒113-8612　東京都文京区本駒込 1-7-10
TEL.（03）5395-7620（編集）・7616（販売）
FAX.（03）5395-7603（編集）・8563（販売）
https://www.ishiyaku.co.jp/
郵便振替番号 00190-5-13816

乱丁, 落丁の際はお取り替えいたします.　　　　印刷・真興社／製本・榎本製本